히브리어 쓰기성경

- 시편 (제4권) -

90편 ~ 106편

언약성경연구소

케타브 프로젝트: 히브리어 쓰기성경 – 시편 제4권

발 행 | 2024년 2월 29일

저 자 | 이학재

발행인 | 최현기

편집 · 디자인 | 허동보

등록번호 | 제399-2010-000013호

발행처 | 홀리북클럽

주 소 | 경기도 남양주시 진접읍 내각2로12 (070-4126-3496)

ISBN | 979-11-6107-057-5

가 격 | 14,300원

כתב Project

히브리어쓰기성경

תהלים

- 시 편 (제4권) -

90편 ~ 106편

영·한·히브리어
대역대조 쓰기성경

언약성경연구소

* 본 책에는 맛싸성경(한글), 개역한글(한글), WLC(히브리어), NET(영어) 성경 역본이 사용되었으며,
  KoPub 바탕체, KoPub 돋움체, Frank Ruhl Libre, 세방체 폰트가 사용되었습니다.
  히브리어 알파벳표, 모음표, 알파벳송 악보는 『왕초보 히브리어 펜습자』(허동보 저) 저자의 동의를 받고 첨부하였습니다.
  맛싸성경3은 저자 이학재 교수가 원문성경에서 직접 번역한 번역물로 번역 저작물이 저작권협회에 접수된 개인번역입니다.

목 차

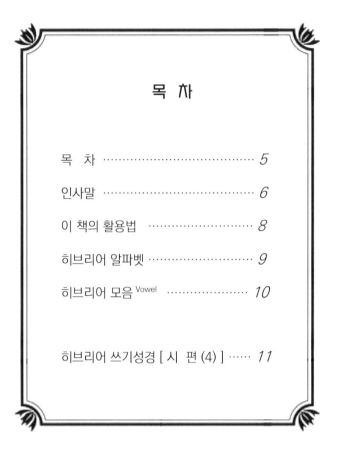

"시편"은 다윗 왕과 그 외 시인들의 하나님을 향한 기도와 찬양, 고백, 희생에 관한 시들로 이루어져 있습니다. 시편은 총 150편으로 이루어져 있으며, 그 내용과 특성에 따라 다섯 권으로 나눕니다.

· 제1권: 1-41편 · 제2권: 42-72편 · 제3권: 73-89편,
· 제4권: 90-106편 · 제5권: 107-150편

이학재 Lee Hakjae   · Covenant University 부총장
                                   · 월간 맛싸 대표   · 맛싸성경 번역자   · 언약성경협회장

성경은 말씀으로 읽고 소리내서 낭독하는 훈련이 필요하다. 또한 성경은 precept, 즉 글로 적은 글이다. 십계명도 하나님께서 적어 주신 것이고 구약성경, 신약성경 모두다 사람들이 손으로 필사하여 전해온 것이다. 특히 시편에서는 하나님의 말씀을 '호크'규례, 교훈라고 부르는데 이것은 '하카크' 즉 '새기다, 기록하다'는 의미이다. 성경은 1455년에 라틴어를 출간하기까지 구약은 서기관들에 의해서 두루마리에 필사를 통해서 기록되었고 신약 역시 대문자, 소문자 등을 통해서 손으로 직접 적었다.

이같은 성경은 소리내 읽는 '낭독'과 글로 적는 '호크'precept로 기록된 말씀이다. 물론 타자를 치는 필사를 비롯하여 다양한 방법이 있지만, 특히 AI 시대에는 주관성과 개인의 특성을 가진 영성이 품어 나오는 적기 성경 즉 '필사 성경'이 필요하다. 시중에 한글 필사성경, 영어 등은 이미 출판되어 있지만 원문 필사는 아직 나오지 않았다. 원문 필사를 위해서는 원문만 넣을 것이 아니라 한글의 공적성경개역, 개역개정과 또한 사역이지만 원문에서 번역한 것이 필요한데 이런 면에서 '맛싸 성경'은 중요한 역할을 할 것이다. 아울러 영역본도 함께 제공되어 원문과 함께 번역본들을 보게 되고 자신의 필사 성경도 각권으로 남게 될 것이다.

성경을 적는다는 것은 참으로 중요하다. 기도하면서 성경에서도 달려가면서도 성경을 읽게 하라는 말씀은 성경에도 기록되어 있다하박국 2장. 많은 사람들이 성경을 덮어두거나, '말아 놓았다'. 이제는 적어서 펼쳐 놓아야 한다. 이런 면에서 족자, 액자들 성경 원문 쓰기를 통해서 원문을 보고 묵상하고 더욱 말씀을 가시적으로 보며 그 말씀의 생명력을 가지는 삶을 살아야 할 것이다. 이 모든 것이 '적는 것'כתב 케타브에서 시작된다. 이 시리즈는 구약 전권 신약 전권의 '쓰기', '적기'를 출간하는 것으로 생각하고 있다. 매일 일정한 양을 쓰면서 원문을 자유롭게 이해하고 원문의 바른 의미, 성경의 의미를 바르게 이해해서 말씀에 근거를 둔 그러한 건강한 말씀 중심의 삶을 살아가시기를 소원한다.

2023년 8월 10일

허동보 <small>Huh Dongbo</small>　· 수현교회 담임목사 · Covenant University 통합과정 중
　　　　　　　　　　· 왕초보 히브리어 저자 및 강사

교회 역사는 대부분 이단으로부터 교회를 보호하는 역사였습니다. 사도들과 교부들의 가르침, 공의회를 통한 결정들은 우리 신앙의 선배들이 이단으로부터 교회를 지키고자 목숨까지 걸었던 몸부림이라고 해도 과언이 아닙니다. 그 신념, 그 몸부림의 근거는 바로 성경이었습니다. 하나님의 말씀이자 우리 신앙생활의 원천인 성경은 수천년이 지난 이 시대를 살아가는 우리가 쉽게 읽을 수 있도록 전문가들을 통해 비교적 잘 번역되어 있습니다. 그럼에도 불구하고 말씀을 사랑하고 매일 묵상하는 우리 그리스도인들이 히브리어와 헬라어를 배워야 하는 까닭은 무엇일까요?

첫째로 지금도 교회를 노리고 핍박하는 이들로부터 주님의 몸 된 교회를 지키기 위해서입니다. 아무리 번역이 잘 되었다고 하더라도 해당 언어가 가진 고유의 뉘앙스와 의미를 동일하게 전달하는 것은 불가능합니다. 따라서 우리는 원전을 살펴봄으로써 말씀에 대한 왜곡과 오해를 헤쳐 나가야 합니다. 둘째로 언어의 한계성 때문입니다. 성경이 쓰여지던 시기의 사회적 배경과 문학적 장치들을 더 잘 전달받기 위해서 우리는 히브리어와 헬라어를 배워야 합니다. 우리는 해당 언어를 통해 한글성경에서 느끼기 힘든 시적 운율과 다양한 의미들을 더욱 세밀하게 들여다볼 수 있으며, 이 과정에서 더 큰 은혜를 느낄 수 있습니다. 셋째로 말씀을 사모하기 때문입니다. 다른 언어를 배운다는 것은 쉽지 않습니다. 그 어려움보다 말씀에 대한 사모가 더욱 간절하기에 우리는 기꺼이 시간과 노력을 할애할 수 있습니다. 이는 마치 해리포터를 사랑하는 사람이 영어를 배우고, 톨스토이를 사랑하는 사람이 러시아어를 배우는 것처럼 원전에 더 가까워지고자 하는 욕망은 말씀을 사모하는 이들이라면 거스를 수 없을 것입니다.

이런 관점에서 언약성경협회와 언약성경연구소의 사역은 하나님의 말씀을 열정적으로 소망하는 우리 그리스도인들에게 있어서 꼭 필요한, 그리고 꼭 이루어 나가야 할 사명이 아닌가 합니다. 이에 말씀을 사모하는 많은 분들이 케타브 프로젝트에 동참하길 소망합니다. 아울러 이학재 교수님을 통해 영광스럽게도 편집과 디자인으로 이 프로젝트에 동참하게 된 것에 대해 주님께 감사드립니다.

편집자

히브리어쓰기성경 활용법

이 책의 구조와 활용법에 대해 알려드립니다.

1. 왼쪽 페이지는 히브리어 성경인 WLC역
    본과 더불어 맛싸성경과 함께 영문역본
    NET2를 대조하였습니다.

    - 맛싸성경은 저자 이학재 교수가 원문성경
      에서 직접 번역한 번역물로 번역 저작물이
      저작권협회에 접수된 개인 번역입니다.

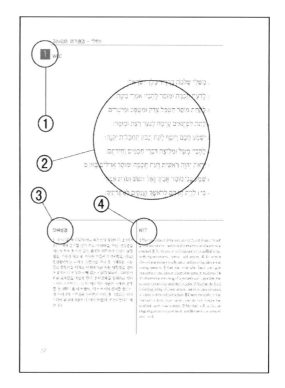

2. 왼쪽 페이지 좌상단에 위치한 숫자는 각
    장을 말합니다. 각 절은 본문에 포함되어
    있습니다.

    ① 몇 장인지 나타냅니다.
    ② WLC 본문입니다.
    ③ 맛싸성경 본문입니다.
    ④ NET2 본문입니다.

3. 여백을 넉넉히 두어 필사와 함께 성경공부를 위한 노트로 사용할 수 있습니다.

* 히브리어쓰기성경을 통해 하나님의 은혜가 더욱 풍성하고 가득한 신앙의 여정이 되시길 소망합니다.

히브리어 알파벳

형 태	이 름	꼬리형	형 태	이 름	꼬리형
א	알렙		מ	멤	ם
ב	베트		נ	눈	ן
ג	기믈		ס	싸멕	
ד	달렛		ע	아인	
ה	헤		פ	페	ף
ו	바브		צ	차디	ץ
ז	자인		ק	코프	
ח	헤트		ר	레쉬	
ט	테트		שׁ	신	
י	요드		שׁ	쉰	
כ	카프	ך	ת	타브	
ל	라메드				

히브리어 알파벳송

알 - 렙 벳 기 - 믈 달 - 렛 헤 바 - 브 자 - 인 헽 테 - 트 요 - 드 카 - 프
א ב ג ד ה ו ז ח ט י כ

라 - 메드 멤 - 눈 - 싸 - 멕 아인 페 차 - 디 코프 레 - 쉬 신 쉰 타 - 브
ל מ נ ס ע פ צ ק ר שׁ שׁ ת

9

히브리어 모음 vowel

	A 아	E 에	I 이	O 오	U 우
장모음	אָ	אֵ		אֹ	
	카메츠	체레		홀렘	
		אֵי	אִי	אוֹ	אוּ
		체레요드	히렉요드	홀렘바브	슈렉
반모음	אֲ	אֱ		אֳ	
	하텝파타	하텝세골		하텝카메츠	
단모음	אַ	אֶ	אִ	אָ	אֻ
	파타	세골	히렉	카메츠하툽	케부츠
		אְ			
		쉐바			
י 가 자음으로 쓰일 때	יַ יָ	יֵ יֶ יְ	יִ	יוֹ יֹ	יוּ יֻ
	야	예	이	요	유

히브리어 모음 vowel 은 단순합니다. 아, 에, 이, 오, 우 발음밖에 없습니다. 하지만, 그 형태가 몇 가지 있는데, 장모음, 단모음, 반모음 등으로 나누어집니다. 장모음은 말 그대로 길게 소리를 내는 모음입니다. 단모음은 짧게 소리를 내는 모음입니다. 그러나 현대에는 장·단모음과 반모음을 크게 구분하여 사용하지는 않는다고 합니다. 다만, :쉐바 발음은 조금 주의가 필요합니다. :쉐바는 '에' 발음일 때도 있지만, 묵음이 되는 경우도 있기 때문입니다.

제 4 권

90편 ~ 106편

90 WLC

1 תְּפִלָּה לְמֹשֶׁה אִישׁ־הָאֱלֹהִים אֲדֹנָי מָעוֹן אַתָּה הָיִיתָ לָּנוּ בְּדֹר וָדֹר׃

2 בְּטֶרֶם ׀ הָרִים יֻלָּדוּ וַתְּחוֹלֵל אֶרֶץ וְתֵבֵל וּמֵעוֹלָם עַד־עוֹלָם אַתָּה אֵל׃

3 תָּשֵׁב אֱנוֹשׁ עַד־דַּכָּא וַתֹּאמֶר שׁוּבוּ בְנֵי־אָדָם׃

4 כִּי אֶלֶף שָׁנִים בְּעֵינֶיךָ כְּיוֹם אֶתְמוֹל כִּי יַעֲבֹר וְאַשְׁמוּרָה בַלָּיְלָה׃

5 זְרַמְתָּם שֵׁנָה יִהְיוּ בַּבֹּקֶר כֶּחָצִיר יַחֲלֹף׃

6 בַּבֹּקֶר יָצִיץ וְחָלָף לָעֶרֶב יְמוֹלֵל וְיָבֵשׁ׃

7 כִּי־כָלִינוּ בְאַפֶּךָ וּבַחֲמָתְךָ נִבְהָלְנוּ׃

8 [שַׁתָּ כ] (שַׁתָּה ק) עֲוֹנֹתֵינוּ לְנֶגְדֶּךָ עֲלֻמֵנוּ לִמְאוֹר פָּנֶיךָ׃

9 כִּי כָל־יָמֵינוּ פָּנוּ בְעֶבְרָתֶךָ כִּלִּינוּ שָׁנֵינוּ כְמוֹ־הֶגֶה׃

맛싸성경

1 [하나님의 사람 모세의 기도] 주님이시여! 주는 세대와 세대에 우리를 위해 거주지가 되셨나이다. 2 산 (들)이 생기기 전 주께서 땅과 세상을 나오게 하시기 전 곧 영원에서부터 영원까지 주는 하나님이시나이다. 3 주께서 인간을 먼지로 돌아가게 하셨으며 "사람의 아들들아, 돌아가라."고 주께서 말씀하셨나이다. 4 이는 주의 눈앞에서의 1,000 년이 어제의 날같이 지나가니 밤의 야경과 같나이다. 5 주께서 그들의 생명을 그치게 하시니 그들은 잠자며 (하루) 아침에 풀같이 지나이다. 6 아침에 그것이 만발하고 저녁때 지며 시들어 마르나이다. 7 이는 우리는 주의 진노로 사라지고 주의 분노로 무서워하나이다. 8 주께서 우리 부정(들)을 주 앞에 두셨으며 우리 숨은(은밀한) 것들이 주의 얼굴빛에 있나이다. 9 이는 우리 모든 날들이 주의 격노로 지나가고 우리 연수들이 한숨처럼 끝나기 때문이니이다.

NET

1 A prayer of Moses, the man of God. O Lord, you have been our protector through all generations. 2 Even before the mountains came into existence, or you brought the world into being, you were the eternal God. 3 You make mankind return to the dust, and say, "Return, O people." 4 Yes, in your eyes a thousand years are like yesterday that quickly passes, or like one of the divisions of the nighttime. 5 You bring their lives to an end and they "fall asleep." In the morning they are like the grass that sprouts up: 6 In the morning it glistens and sprouts up; at evening time it withers and dries up. 7 Yes, we are consumed by your anger; we are terrified by your wrath. 8 You are aware of our sins; you even know about our hidden sins. 9 Yes, throughout all our days we experience your raging fury; the years of our lives pass quickly, like a sigh.

90 WLC

10 יְמֵי־שְׁנוֹתֵינוּ בָהֶם שִׁבְעִים שָׁנָה וְאִם בִּגְבוּרֹת ׀ שְׁמוֹנִים שָׁנָה וְרָהְבָּם
עָמָל וָאָוֶן כִּי־גָז חִישׁ וַנָּעֻפָה:

11 מִי־יוֹדֵעַ עֹז אַפֶּךָ וּכְיִרְאָתְךָ עֶבְרָתֶךָ:

12 לִמְנוֹת יָמֵינוּ כֵּן הוֹדַע וְנָבִא לְבַב חָכְמָה:

13 שׁוּבָה יְהוָה עַד־מָתָי וְהִנָּחֵם עַל־עֲבָדֶיךָ:

14 שַׂבְּעֵנוּ בַבֹּקֶר חַסְדֶּךָ וּנְרַנְּנָה וְנִשְׂמְחָה בְּכָל־יָמֵינוּ:

15 שַׂמְּחֵנוּ כִּימוֹת עִנִּיתָנוּ שְׁנוֹת רָאִינוּ רָעָה:

16 יֵרָאֶה אֶל־עֲבָדֶיךָ פָעֳלֶךָ וַהֲדָרְךָ עַל־בְּנֵיהֶם:

17 וִיהִי ׀ נֹעַם אֲדֹנָי אֱלֹהֵינוּ עָלֵינוּ וּמַעֲשֵׂה יָדֵינוּ כּוֹנְנָה עָלֵינוּ וּמַעֲשֵׂה
יָדֵינוּ כּוֹנְנֵהוּ:

맛싸성경

10 우리 연수의 날들이 70(세)이고 힘이 있으면 80(세)이나 그것(연수)들의 자랑은 고통과 재앙이니 이는 그것이 빨리 지나가니 우리는 날아가나이다. 11 누가 주의 진노의 힘(강력함)을 알며 주의 격노함이 주를 두려워함 같은지 알겠나이까? 12 우리들의 날들을 세도록 그렇게 가르치시고 우리가 지혜의 마음을 얻게 하소서. 13 여호와시여! 돌아오소서. 어느 때까지니이까? 주의 종들을 불쌍히 여기소서. 14 아침에 주의 인애로 우리들을 만족하게 하시고 우리로 (큰소리로) 기뻐하며 우리들의 모든 날 동안 즐거워하게 하소서. 15 (주께서 우리를) 고통스럽게 한 날 만큼 우리가 재난을 본 연수대로 우리를 즐겁게 하소서. 16 주의 행하심을 주의 종들에게 주의 위엄을 그들의 자손들에게 보이게 하소서. 17 주님 우리 하나님의 돌보심이 우리 위에 있게 하시고 우리의 손들이 행한 일이 우리 위에 굳건히 세워지게 하시며 우리 손들로 행한 일이 굳건히 세워지게 하소서.

NET

10 The days of our lives add up to 70 years, or 80, if one is especially strong. But even one's best years are marred by trouble and oppression. Yes, they pass quickly and we fly away. 11 Who can really fathom the intensity of your anger? Your raging fury causes people to fear you. 12 So teach us to consider our mortality, so that we might live wisely. 13 Turn back toward us, O Lord. How long must this suffering last? Have pity on your servants. 14 Satisfy us in the morning with your loyal love. Then we will shout for joy and be happy all our days. 15 Make us happy in proportion to the days you have afflicted us, in proportion to the years we have experienced trouble. 16 May your servants see your work. May their sons see your majesty. 17 May our Sovereign God extend his favor to us. Make our endeavors successful. Yes, make them successful.

91
WLC

1 יֹשֵׁב בְּסֵתֶר עֶלְיוֹן בְּצֵל שַׁדַּי יִתְלוֹנָן׃

2 אֹמַר לַיהוָה מַחְסִי וּמְצוּדָתִי אֱלֹהַי אֶבְטַח־בּוֹ׃

3 כִּי הוּא יַצִּילְךָ מִפַּח יָקוּשׁ מִדֶּבֶר הַוּוֹת׃

4 בְּאֶבְרָתוֹ ׀ יָסֶךְ לָךְ וְתַחַת־כְּנָפָיו תֶּחְסֶה צִנָּה וְסֹחֵרָה אֲמִתּוֹ׃

5 לֹא־תִירָא מִפַּחַד לָיְלָה מֵחֵץ יָעוּף יוֹמָם׃

6 מִדֶּבֶר בָּאֹפֶל יַהֲלֹךְ מִקֶּטֶב יָשׁוּד צָהֳרָיִם׃

7 יִפֹּל מִצִּדְּךָ ׀ אֶלֶף וּרְבָבָה מִימִינֶךָ אֵלֶיךָ לֹא יִגָּשׁ׃

8 רַק בְּעֵינֶיךָ תַבִּיט וְשִׁלֻּמַת רְשָׁעִים תִּרְאֶה׃

맛싸성경

1 가장 높으신 분의 피난처에 거하는 자는 전능자의 그늘 아래서 거하게 될 것이라. 2 (내가) 여호와께 말할 것이라. "내 하나님은 나의 피난처이시고 나의 요새이니 내가 그분을 신뢰할 것이라." 3 이는 주께서 사냥꾼의 올무와 멸망의 전염병에서부터 너를 구출하실 것임이라. 4 주께서 너를 그 날개 깃털로 덮으시고 그분의 날개 밑으로 피하게 하실 것이라. 그분의 진리가 큰 방패와 작은 방패가 되실 것이라. 5 너는 밤의 공포와 낮에 날아다니는 화살을 두려워하지 않으며 6 어두움 중에 다니는 전염병과 대낮에 파괴하는 염병도 두려워하지 아니할 것이라. 7 네 곁에서 1,000명이 네 오른쪽에서 10,000명이 넘어질 것이나 그것이 네게 가까이 오지 못할 것이라. 8 단지 너는 네 눈으로 주목할 것이며 사악한 자들의 보응을 보게 될 것이라.

NET

1 As for you, the one who lives in the shelter of the Most High, and resides in the protective shadow of the Sovereign One— 2 I say this about the Lord, my shelter and my stronghold, my God in whom I trust— 3 he will certainly rescue you from the snare of the hunter and from the destructive plague. 4 He will shelter you with his wings; you will find safety under his wings. His faithfulness is like a shield or a protective wall. 5 You need not fear the terrors of the night, the arrow that flies by day, 6 the plague that stalks in the darkness, or the disease that ravages at noon. 7 Though a thousand may fall beside you, and a multitude on your right side, it will not reach you. 8 Certainly you will see it with your very own eyes— you will see the wicked paid back.

9 כִּי־אַתָּה יְהוָה מַחְסִי עֶלְיוֹן שַׂמְתָּ מְעוֹנֶךָ:

10 לֹא־תְאֻנֶּה אֵלֶיךָ רָעָה וְנֶגַע לֹא־יִקְרַב בְּאָהֳלֶךָ:

11 כִּי מַלְאָכָיו יְצַוֶּה־לָּךְ לִשְׁמָרְךָ בְּכָל־דְּרָכֶיךָ:

12 עַל־כַּפַּיִם יִשָּׂאוּנְךָ פֶּן־תִּגֹּף בָּאֶבֶן רַגְלֶךָ:

13 עַל־שַׁחַל וָפֶתֶן תִּדְרֹךְ תִּרְמֹס כְּפִיר וְתַנִּין:

14 כִּי בִי חָשַׁק וַאֲפַלְּטֵהוּ אֲשַׂגְּבֵהוּ כִּי־יָדַע שְׁמִי:

15 יִקְרָאֵנִי וְאֶעֱנֵהוּ עִמּוֹ־אָנֹכִי בְצָרָה אֲחַלְּצֵהוּ וַאֲכַבְּדֵהוּ:

16 אֹרֶךְ יָמִים אַשְׂבִּיעֵהוּ וְאַרְאֵהוּ בִּישׁוּעָתִי:

맛싸성경

9 네가 여호와가 내 피난처라고 하고 네가 가장 높으신 분을 너의 거처에 두었을 때는 10 네 위에 악이 임하지 않을 것이며 재앙이 네 장막에 가까이 오지 않을 것이라. 11 이는 그분이 네게 자기 천사들에게 명령하셔서 네 모든 길을 지키라고 하셨기 때문이라. 12 그들이 네 발이 돌 위에 부딪히지 않게 하시도록 너를 그들의 손들로 들어 올릴 것이라. 13 네가 사자와 용을 밟을 것이며 큰 사자와 큰 코브라를 짓밟을 것이라. 14 "이는 그가 나를 사랑할 때 내가 그를 구원할 것이라. 그가 내 이름을 알기 때문에 내가 그를 보호할 것이라 15 그가 내게 부르짖을 때 나는 응답할 것이니 나는 고난 중에 있는 그와 함께 할 것이며 내가 그를 구출하여 내가 그를 영화롭게 할 것이라. 16 내가 그를 장수의 날들로 만족시키며 내 구원을 그에게 보여줄 것이라."

NET

9 For you have taken refuge in the Lord, my shelter, the Most High. 10 No harm will overtake you; no illness will come near your home. 11 For he will order his angels to protect you in all you do. 12 They will lift you up in their hands, so you will not slip and fall on a stone. 13 You will subdue a lion and a snake; you will trample underfoot a young lion and a serpent. 14 The Lord says, "Because he is devoted to me, I will deliver him; I will protect him because he is loyal to me. 15 When he calls out to me, I will answer him. I will be with him when he is in trouble; I will rescue him and bring him honor. 16 I will satisfy him with long life and will let him see my salvation."

92 WLC

1 מִזְמוֹר שִׁיר לְיוֹם הַשַּׁבָּת׃

2 טוֹב לְהֹדוֹת לַיהוָה וּלְזַמֵּר לְשִׁמְךָ עֶלְיוֹן׃

3 לְהַגִּיד בַּבֹּקֶר חַסְדֶּךָ וֶאֱמוּנָתְךָ בַּלֵּילוֹת׃

4 עֲלֵי־עָשׂוֹר וַעֲלֵי־נָבֶל עֲלֵי הִגָּיוֹן בְּכִנּוֹר׃

5 כִּי שִׂמַּחְתַּנִי יְהוָה בְּפָעֳלֶךָ בְּמַעֲשֵׂי יָדֶיךָ אֲרַנֵּן׃

6 מַה־גָּדְלוּ מַעֲשֶׂיךָ יְהוָה מְאֹד עָמְקוּ מַחְשְׁבֹתֶיךָ׃

7 אִישׁ־בַּעַר לֹא יֵדָע וּכְסִיל לֹא־יָבִין אֶת־זֹאת׃

8 בִּפְרֹחַ רְשָׁעִים ׀ כְּמוֹ עֵשֶׂב וַיָּצִיצוּ כָּל־פֹּעֲלֵי אָוֶן לְהִשָּׁמְדָם

עֲדֵי־עַד׃

맛싸성경

(히, 92:1) [안식일을 위한 시. 노래] 1(2) 지극히 높으신 분이시여! 여호와께 찬양하는 것과 주의 이름을 노래하는 것이 좋사오니 2(3) 주의 인애를 아침에 또 주의 신실함을 밤들 사이에 선포하려고 하며 3(4) 열 줄 악기와 네벨(하프)과 킨노르(수금)의 울려 퍼지는 소리에 맞추려 하나이다. 4(5) 여호와시여! 이는 주께서 주의 행하심으로 나를 기쁘게 하심이니이다. 주의 손의 작품들 안에서(행사를 인하여) 내가 큰 소리로 노래하겠나이다. 5(6) 여호와시여! 주의 행사가 얼마나 위대하시나이까? 주의 생각이 대단히 깊으시나이다. 6(7) 멍청한 사람은 알지 못하고 우둔한 자는 이 것을 깨닫지 못하니 7(8) (비록) 사악한 자들이 풀과 같이 돋아나고 사악을 행하는 모든 자들이 번성할지라도 그들은 영원 영원히 멸망당할 것이나이다.

NET

1(H 92:1) A psalm; a song for the Sabbath day. (2) It is fitting to thank the Lord, and to sing praises to your name, O Most High. 2(3) It is fitting to proclaim your loyal love in the morning and your faithfulness during the night, 3(4) to the accompaniment of a ten-stringed instrument and a lyre, to the accompaniment of the meditative tone of the harp. 4(5) For you, O Lord, have made me happy by your work. I will sing for joy because of what you have done. 5(6) How great are your works, O Lord! Your plans are very intricate! 6(7) The spiritually insensitive do not recognize this; the fool does not understand this. 7 When the wicked sprout up like grass, and all the evildoers glisten, it is so that they may be annihilated.

‫וְאַתָּה מָרוֹם לְעֹלָם יְהוָה:‬ 9

‫כִּי הִנֵּה אֹיְבֶיךָ ׀ יְהוָה כִּי־הִנֵּה אֹיְבֶיךָ יֹאבֵדוּ יִתְפָּרְדוּ כָּל־פֹּעֲלֵי אָוֶן:‬ 10

‫וַתָּרֶם כִּרְאֵים קַרְנִי בַּלֹּתִי בְּשֶׁמֶן רַעֲנָן:‬ 11

‫וַתַּבֵּט עֵינִי בְּשׁוּרָי בַּקָּמִים עָלַי מְרֵעִים תִּשְׁמַעְנָה אָזְנָי:‬ 12

‫צַדִּיק כַּתָּמָר יִפְרָח כְּאֶרֶז בַּלְּבָנוֹן יִשְׂגֶּה:‬ 13

‫שְׁתוּלִים בְּבֵית יְהוָה בְּחַצְרוֹת אֱלֹהֵינוּ יַפְרִיחוּ:‬ 14

‫עוֹד יְנוּבוּן בְּשֵׂיבָה דְּשֵׁנִים וְרַעֲנַנִּים יִהְיוּ:‬ 15

‫לְהַגִּיד כִּי־יָשָׁר יְהוָה צוּרִי וְלֹא־[עלתה כ] (עַוְלָתָה ק) בּוֹ:‬ 16

맛싸성경

8(히, 92:9) 그러나 여호와시여! 주는 영원히 높으시나이다. 9(10) 주의 원수들을 보소서. 여호와시여! 보소서. 이는 주의 원수들은 멸망하기 때문이니이다. 사악을 행하는 모든 자들이 흩어지나이다. 10(11) 그러나 주께서 내 뿔을 들소 (뿔과) 같이 높이셨으니 나는 새 기름으로 부음 받을 것이니이다. 11(12) 내 눈은 내 대적들을 (기쁘게) 보았고 내 귀(들)은 나를 반대해서 일어난 악인들의 (비명)을 들었나이다. 12(13) 의인은 종려나무같이 자라고 레바논의 삼나무같이 크게 될 것이나이다. 13(14) 그것들은 여호와의 집에 심겼고 우리 하나님의 뜰 안에서 (잘) 자랄 것이나이다. 14(15) 그것들은 늙어도 계속해서 열매를 맺으며 진액을 내고 잎이 많을 것이니 15(16) 여호와는 올바르시며 내 반석이시고 그분에게는 불의가 없음이 선포되리로다.

NET

8(H 92:9) But you, O Lord, reign forever. 9(10) Indeed, look at your enemies, O Lord. Indeed, look at how your enemies perish. All the evildoers are scattered. 10(11) You exalt my horn like that of a wild ox. I am covered with fresh oil. 11(12) I gloat in triumph over those who tried to ambush me; I hear the defeated cries of the evil foes who attacked me. 12(13) The godly grow like a palm tree; they grow high like a cedar in Lebanon. 13(14) Planted in the Lord's house, they grow in the courts of our God. 14(15) They bear fruit even when they are old; they are filled with vitality and have many leaves. 15(16) So they proclaim that the Lord, my Protector, is just and never unfair.

WLC

יְהוָה מָלָךְ גֵּאוּת לָבֵשׁ לָבֵשׁ יְהוָה עֹז הִתְאַזָּר אַף־תִּכּוֹן תֵּבֵל 1

בַּל־תִּמּוֹט:

נָכוֹן כִּסְאֲךָ מֵאָז מֵעוֹלָם אָתָּה: 2

נָשְׂאוּ נְהָרוֹת ׀ יְהוָה נָשְׂאוּ נְהָרוֹת קוֹלָם יִשְׂאוּ נְהָרוֹת דָּכְיָם: 3

מִקֹּלוֹת ׀ מַיִם רַבִּים אַדִּירִים מִשְׁבְּרֵי־יָם אַדִּיר בַּמָּרוֹם יְהוָה: 4

עֵדֹתֶיךָ ׀ נֶאֶמְנוּ מְאֹד לְבֵיתְךָ נַאֲוָה־קֹדֶשׁ יְהוָה לְאֹרֶךְ יָמִים: 5

맛싸성경

1 여호와께서 통치하시나니 위엄으로 (옷) 입으셨도 다. 여호와는 능력으로 (옷) 입으셨고 (띠를) 매셨으니 참으로 세상은 굳게 세워져서 그것은 흔들리지 않을 것이로다. 2 주의 보좌는 오래전부터 영속하며 주는 영원부터 계시나이다. 3 여호와시여! 홍수가 높아졌 고 홍수가 그(것들의) 소리들을 높이 올렸으며 홍수가 파도들을 높였나이다. 4 많은 물들의 소리(들)보다도 바다의 강한 파도들보다 (여호와는) 더 강력하시나이 다. 높은데 계신 여호와는 더 강력하시나이다. 5 주의 증거들은 매우 신실하고 주의 집에는 거룩함이 어울 리며 여호와는 영영히 거하시리로다.

NET

1 The Lord reigns. He is robed in majesty. The Lord is robed; he wears strength around his waist. Indeed, the world is established; it cannot be moved. 2 Your throne has been secure from ancient times; you have always been king. 3 The waves roar, O Lord, the waves roar, the waves roar and crash. 4 Above the sound of the surging water, and the mighty waves of the sea, the Lord sits enthroned in majesty. 5 The rules you set down are completely reliable. Holiness aptly adorns your house, O Lord, forever.

94 WLC

1 אֵל־נְקָמוֹת יְהוָה אֵל נְקָמוֹת הוֹפִיעַ׃

2 הִנָּשֵׂא שֹׁפֵט הָאָרֶץ הָשֵׁב גְּמוּל עַל־גֵּאִים׃

3 עַד־מָתַי רְשָׁעִים ׀ יְהוָה עַד־מָתַי רְשָׁעִים יַעֲלֹזוּ׃

4 יַבִּיעוּ יְדַבְּרוּ עָתָק יִתְאַמְּרוּ כָּל־פֹּעֲלֵי אָוֶן׃

5 עַמְּךָ יְהוָה יְדַכְּאוּ וְנַחֲלָתְךָ יְעַנּוּ׃

6 אַלְמָנָה וְגֵר יַהֲרֹגוּ וִיתוֹמִים יְרַצֵּחוּ׃

7 וַיֹּאמְרוּ לֹא יִרְאֶה־יָּהּ וְלֹא־יָבִין אֱלֹהֵי יַעֲקֹב׃

맛싸성경

1 보복의 하나님 여호와시여! 보복의 하나님이시여! 빛을 비추소서. 2 땅의 심판자이시여! 스스로 일으키소서. 자만한 자들에게 보복으로 갚으소서. 3 여호와시여! 사악한 자들이 언제까지 사악한 자들이 언제까지 즐거워하겠나이까? 4 그들이 뻔뻔하게 말하고 쏟아내어 사악을 행하는 모든 자들이 자랑하나이다. 5 여호와시여! 그들이 주의 백성을 짓밟고 주의 상속(자)들을 압제하나이다. 6 그들은 과부와 객을 죽이고 고아들을 살인하며 7 "여호와가 보시지 않고 야곱의 하나님이 관여하지 않는다."고 그들이 말하나이다.

NET

1 O Lord, the God who avenges! O God who avenges, reveal your splendor. 2 Rise up, O judge of the earth. Pay back the proud. 3 O Lord, how long will the wicked, how long will the wicked celebrate? 4 They spew out threats and speak defiantly; all the evildoers boast. 5 O Lord, they crush your people; they oppress the nation that belongs to you. 6 They kill the widow and the resident foreigner, and they murder the fatherless. 7 Then they say, "The Lord does not see this; the God of Jacob does not take notice of it."

94 WLC

8 בִּינוּ בֹּעֲרִים בָּעָם וּכְסִילִים מָתַי תַּשְׂכִּילוּ׃

9 הֲנֹטַע אֹזֶן הֲלֹא יִשְׁמָע אִם־יֹצֵר עַיִן הֲלֹא יַבִּיט׃

10 הֲיֹסֵר גּוֹיִם הֲלֹא יוֹכִיחַ הַמְלַמֵּד אָדָם דָּעַת׃

11 יְהוָה יֹדֵעַ מַחְשְׁבוֹת אָדָם כִּי־הֵמָּה הָבֶל׃

12 אַשְׁרֵי ׀ הַגֶּבֶר אֲשֶׁר־תְּיַסְּרֶנּוּ יָּהּ וּמִתּוֹרָתְךָ תְלַמְּדֶנּוּ׃

13 לְהַשְׁקִיט לוֹ מִימֵי רָע עַד יִכָּרֶה לָרָשָׁע שָׁחַת׃

14 כִּי ׀ לֹא־יִטֹּשׁ יְהוָה עַמּוֹ וְנַחֲלָתוֹ לֹא יַעֲזֹב׃

15 כִּי־עַד־צֶדֶק יָשׁוּב מִשְׁפָּט וְאַחֲרָיו כָּל־יִשְׁרֵי־לֵב׃

맛싸성경

8 백성들 중에 멍청한 자들아, 깨달아라. 우둔한 자들아, (너희가) 언제 통찰력이 있어지겠느냐? 9 귀를 심으신 분이 듣지 아니하시며 눈을 지으신 분이 보시지 않겠느냐? 10 민족들을 교훈하는 분이 벌하지 않으시며 그분이 사람에게 지식을 가르치는 분이 아니시겠느냐? 11 여호와는 사람의 생각들을 알고 계시니 이는 그것들이 다 덧없는 것이라. 12 복 있는 사람은 여호와께서 훈계하시는 그 사람이니 주의 율법으로 주께서 가르치시며 13 어려운 (고난)의 날에 그에게 평안을 주시니 악인을 위한 구덩이가 파질 때까지라. 14 이는 여호와께서는 그의 백성을 포기하지 않으시며 그의 상속을 버리지 않으심이라. 15 (이는) 의로 심판이 돌아오며 마음의 모든 올바름도 그의 뒤를 따름이라.

NET

8 Take notice of this, you ignorant people. You fools, when will you ever understand? 9 Does the one who makes the human ear not hear? Does the one who forms the human eye not see? 10 Does the one who disciplines the nations not punish? He is the one who imparts knowledge to human beings! 11 The Lord knows that peoples' thoughts are morally bankrupt. 12 How blessed is the one whom you instruct, O Lord, the one whom you teach from your law 13 in order to protect him from times of trouble, until the wicked are destroyed. 14 Certainly the Lord does not forsake his people; he does not abandon the nation that belongs to him. 15 For justice will prevail, and all the morally upright will be vindicated.

94 WLC

16 מִי־יָקוּם לִי עִם־מְרֵעִים מִי־יִתְיַצֵּב לִי עִם־פֹּעֲלֵי אָוֶן:

17 לוּלֵי יְהוָה עֶזְרָתָה לִּי כִּמְעַט ׀ שָׁכְנָה דוּמָה נַפְשִׁי:

18 אִם־אָמַרְתִּי מָטָה רַגְלִי חַסְדְּךָ יְהוָה יִסְעָדֵנִי:

19 בְּרֹב שַׂרְעַפַּי בְּקִרְבִּי תַּנְחוּמֶיךָ יְשַׁעַשְׁעוּ נַפְשִׁי:

20 הַיְחָבְרְךָ כִּסֵּא הַוּוֹת יֹצֵר עָמָל עֲלֵי־חֹק:

21 יָגוֹדּוּ עַל־נֶפֶשׁ צַדִּיק וְדָם נָקִי יַרְשִׁיעוּ:

22 וַיְהִי יְהוָה לִי לְמִשְׂגָּב וֵאלֹהַי לְצוּר מַחְסִי:

23 וַיָּשֶׁב עֲלֵיהֶם ׀ אֶת־אוֹנָם וּבְרָעָתָם יַצְמִיתֵם יַצְמִיתֵם

יְהוָה אֱלֹהֵינוּ:

맛싸성경

16 누가 나를 위하여 악한 자들을 대항하여 일어나며 누가 나를 위하여 사악을 행하는 자들에 대하여 맞서겠느냐? 17 만일 여호와께서 내게 도움이 아니시라면 내 생명은 곧 침묵에 거했을 것이라. 18 내가 내 발이 미끄러졌다고 말할 때 여호와시여! 주의 인애가 나를 붙잡으셨나이다. 19 내 안에 불안한 생각이 많을 때 주의 위로가 내 영혼을 기쁘게 하셨도다. 20 파괴의 왕좌가 주와 함께 결합할 수 있겠으며 규례에 불의를 만들 수 있겠나이까? 21 그들은 의인의 생명을 대항하여 함께 무리를 지으며 무죄한 자의 피를 정죄하나이다. 22 그러나 여호와는 내게 피난처가 되셨으며 내 하나님은 내 피하는 반석이시라. 23 주께서 그들의 죄를 그들에게 (위로) 돌리시고 그들의 악에 (대하여) 그것들을 파괴하실 것이며 우리들의 하나님 여호와께서 그들을 파괴하실 것이라.

NET

16 Who will rise up to defend me against the wicked? Who will stand up for me against the evildoers? 17 If the Lord had not helped me, I would soon have dwelt in the silence of death. 18 If I say, "My foot is slipping," your loyal love, O Lord, supports me. 19 When worries threaten to overwhelm me, your soothing touch makes me happy. 20 Cruel rulers are not your allies, those who make oppressive laws. 21 They conspire against the blameless and condemn to death the innocent. 22 But the Lord will protect me, and my God will shelter me. 23 He will pay them back for their sin. He will destroy them because of their evil; the Lord our God will destroy them.

95 WLC

1 לְכוּ נְרַנְּנָה לַיהוָה נָרִיעָה לְצוּר יִשְׁעֵנוּ׃

2 נְקַדְּמָה פָנָיו בְּתוֹדָה בִּזְמִרוֹת נָרִיעַ לוֹ׃

3 כִּי אֵל גָּדוֹל יְהוָה וּמֶלֶךְ גָּדוֹל עַל־כָּל־אֱלֹהִים׃

4 אֲשֶׁר בְּיָדוֹ מֶחְקְרֵי־אָרֶץ וְתוֹעֲפוֹת הָרִים לוֹ׃

5 אֲשֶׁר־לוֹ הַיָּם וְהוּא עָשָׂהוּ וְיַבֶּשֶׁת יָדָיו יָצָרוּ׃

맛싸성경

1 오라. 우리가 여호와께 큰 소리로 노래하며 우리들의 구원의 반석에게 승리의 개가를 부르자. 2 감사함으로 그 얼굴로 나아가며 노래로 그분께 승리의 개가를 부르자. 3 이는 여호와는 크신 하나님이시며 그분은 모든 신들 위에 크신 왕이시라. 4 땅의 깊은 곳이 그분의 손안에 있고 산(들)의 높은 곳들이 그분의 것이기 때문이로다. 5 바다가 그분의 것이고 그분이 그것을 만드셨으며 마른 땅도 그분의 손들이 지으셨음이라.

NET

1 Come, let us sing for joy to the Lord. Let us shout out praises to our Protector who delivers us. 2 Let us enter his presence with thanksgiving. Let us shout out to him in celebration. 3 For the Lord is a great God, a great king who is superior to all gods. 4 The depths of the earth are in his hand, and the mountain peaks belong to him. 5 The sea is his, for he made it. His hands formed the dry land.

95 WLC

6 בֹּאוּ נִשְׁתַּחֲוֶה וְנִכְרָעָה נִבְרְכָה לִפְנֵי־יְהוָה עֹשֵׂנוּ׃

7 כִּי הוּא אֱלֹהֵינוּ וַאֲנַחְנוּ עַם מַרְעִיתוֹ וְצֹאן יָדוֹ הַיּוֹם אִם־בְּקֹלוֹ

תִשְׁמָעוּ׃

8 אַל־תַּקְשׁוּ לְבַבְכֶם כִּמְרִיבָה כְּיוֹם מַסָּה בַּמִּדְבָּר׃

9 אֲשֶׁר נִסּוּנִי אֲבוֹתֵיכֶם בְּחָנוּנִי גַּם־רָאוּ פָעֳלִי׃

10 אַרְבָּעִים שָׁנָה ׀ אָקוּט בְּדוֹר וָאֹמַר עַם תֹּעֵי לֵבָב הֵם וְהֵם

לֹא־יָדְעוּ דְרָכָי׃

11 אֲשֶׁר־נִשְׁבַּעְתִּי בְאַפִּי אִם־יְבֹאוּן אֶל־מְנוּחָתִי׃

맛싸성경

6 나오라. 우리가 예배드리며 무릎을 꿇자. 우리들을 만드신 여호와 앞에서 꿇어 송축하자. 7 이는 그분은 우리 하나님이시고 우리는 그의 초장의 백성이며 그분의 손의 양 떼들임이라. 오늘날 만일 너희들이 그의 음성을 들을 때 8 므리바같이 광야에서 맛사의 날같이 너희 마음을 완고하게 하지 마라. 9 그때 너희 아버지(조상)들은 나를 시험하고 나를 검증하였으며 또한 그들은 나의 행한 일을 보았도다. 10 40년간 나는 그 세대를 몹시 혐오하였으니 "그들은 마음이 떠난 백성이며 그들은 내 길을 알지 못했다."고 말하였도다. 11 그러므로 내가 나의 진노로 "그들은 내 안식처로 들어오지 못한다."고 맹세하였도다.

NET

6 Come, let us bow down and worship. Let us kneel before the Lord, our Creator. 7 For he is our God; we are the people of his pasture, the sheep he owns. Today, if only you would obey him. 8 He says, "Do not be stubborn like they were at Meribah, like they were that day at Massah in the wilderness, 9 where your ancestors challenged my authority and tried my patience, even though they had seen my work. 10 For 40 years I was continually disgusted with that generation, and I said, 'These people desire to go astray; they do not obey my commands.' 11 So I made a vow in my anger, 'They will never enter into the resting place I had set aside for them.'"

96 WLC

שִׁירוּ לַיהוָה שִׁיר חָדָשׁ שִׁירוּ לַיהוָה כָּל־הָאָרֶץ׃ ₁

שִׁירוּ לַיהוָה בָּרֲכוּ שְׁמוֹ בַּשְּׂרוּ מִיּוֹם־לְיוֹם יְשׁוּעָתוֹ׃ ₂

סַפְּרוּ בַגּוֹיִם כְּבוֹדוֹ בְּכָל־הָעַמִּים נִפְלְאוֹתָיו׃ ₃

כִּי גָדוֹל יְהוָה וּמְהֻלָּל מְאֹד נוֹרָא הוּא עַל־כָּל־אֱלֹהִים׃ ₄

כִּי ׀ כָּל־אֱלֹהֵי הָעַמִּים אֱלִילִים וַיהוָה שָׁמַיִם עָשָׂה׃ ₅

הוֹד־וְהָדָר לְפָנָיו עֹז וְתִפְאֶרֶת בְּמִקְדָּשׁוֹ׃ ₆

הָבוּ לַיהוָה מִשְׁפְּחוֹת עַמִּים הָבוּ לַיהוָה כָּבוֹד וָעֹז׃ ₇

맛싸성경

1 여호와께 새 노래로 노래하라. 모든 땅아, 여호와께 노래하라. 2 여호와께 노래하며 그분의 이름을 송축하여라. 그분의 구원을 매일매일 선포하여라. 3 백성들 중에서 그분의 영광을 알게 하고 그분의 놀라운 일들을 모든 사람들 중에서 알게 하여라. 4 이는 여호와는 크시고 그분은 찬양받기에 매우 합당하시기 때문이며 모든 신들 위에 두려우신 분이기 때문이라. 5 이는 모든 백성들의 신들은 이방 우상들이나 여호와는 하늘을 만드셨음이라. 6 위엄과 존귀가 그분 앞에 있으며 힘과 아름다움이 그분의 성소에 있도다. 7 나라(들)의 족속들아, 여호와께 돌려라. 여호와께 영광과 힘을 돌려라.

NET

1 Sing to the Lord a new song. Sing to the Lord, all the earth. 2 Sing to the Lord. Praise his name. Announce every day how he delivers. 3 Tell the nations about his splendor. Tell all the nations about his amazing deeds. 4 For the Lord is great and certainly worthy of praise; he is more awesome than all gods. 5 For all the gods of the nations are worthless, but the Lord made the sky. 6 Majestic splendor emanates from him; his sanctuary is firmly established and beautiful. 7 Ascribe to the Lord, O families of the nations, ascribe to the Lord splendor and strength.

96 WLC

8 הָבוּ לַיהוָה כְּבוֹד שְׁמוֹ שְׂאוּ־מִנְחָה וּבֹאוּ לְחַצְרוֹתָיו׃

9 הִשְׁתַּחֲווּ לַיהוָה בְּהַדְרַת־קֹדֶשׁ חִילוּ מִפָּנָיו כָּל־הָאָרֶץ׃

10 אִמְרוּ בַגּוֹיִם ׀ יְהוָה מָלָךְ אַף־תִּכּוֹן תֵּבֵל בַּל־תִּמּוֹט יָדִין עַמִּים

בְּמֵישָׁרִים׃

11 יִשְׂמְחוּ הַשָּׁמַיִם וְתָגֵל הָאָרֶץ יִרְעַם הַיָּם וּמְלֹאוֹ׃

12 יַעֲלֹז שָׂדַי וְכָל־אֲשֶׁר־בּוֹ אָז יְרַנְּנוּ כָּל־עֲצֵי־יָעַר׃

13 לִפְנֵי יְהוָה ׀ כִּי בָא כִּי בָא לִשְׁפֹּט הָאָרֶץ יִשְׁפֹּט־תֵּבֵל בְּצֶדֶק

וְעַמִּים בֶּאֱמוּנָתוֹ׃

맛싸성경

8 그분의 이름의 영광을 여호와께 돌려라. 예물을 바치고 그의 뜰로 나아가라. 9 거룩한 장식으로 여호와께 예배드려라. 모든 땅아, 그분 앞에서 떨지어다. 10 열방 가운데 너희들은 말하여라. "여호와께서 다스리시니 참으로 세상은 견고하도다. 그것은 움직이지(요동하지) 않으며 그분께서 사람들을 공정하게 판단하시도다." 11 하늘이여 즐거워하며 땅이여 기뻐하여라. 바다와 거기에 가득한 것들은 큰소리를 지르고 12 들과 그 가운데 있는 모든 것들은 크게 기뻐하여라. 그때 삼림의 모든 나무들도 큰 소리로 노래하리니 13 여호와 앞에서 그리하여라. 이는 그분이 오시기 때문이고 (이는) 그분이 땅을 심판하러 오시기 때문이니 세상을 의로 그리고 백성들을 그분의 신실함으로 심판하실 것이로다.

NET

8 Ascribe to the Lord the splendor he deserves. Bring an offering and enter his courts. 9 Worship the Lord in holy attire. Tremble before him, all the earth. 10 Say among the nations, "The Lord reigns! The world is established; it cannot be moved. He judges the nations fairly." 11 Let the sky rejoice, and the earth be happy. Let the sea and everything in it shout. 12 Let the fields and everything in them celebrate. Then let the trees of the forest shout with joy 13 before the Lord, for he comes. For he comes to judge the earth. He judges the world fairly and the nations in accordance with his justice.

1 יְהוָה מָלָךְ תָּגֵל הָאָרֶץ יִשְׂמְחוּ אִיִּים רַבִּים׃

2 עָנָן וַעֲרָפֶל סְבִיבָיו צֶדֶק וּמִשְׁפָּט מְכוֹן כִּסְאוֹ׃

3 אֵשׁ לְפָנָיו תֵּלֵךְ וּתְלַהֵט סָבִיב צָרָיו׃

4 הֵאִירוּ בְרָקָיו תֵּבֵל רָאֲתָה וַתָּחֵל הָאָרֶץ׃

5 הָרִים כַּדּוֹנַג נָמַסּוּ מִלִּפְנֵי יְהוָה מִלִּפְנֵי אֲדוֹן כָּל־הָאָרֶץ׃

6 הִגִּידוּ הַשָּׁמַיִם צִדְקוֹ וְרָאוּ כָל־הָעַמִּים כְּבוֹדוֹ׃

맛싸성경

1 여호와께서 통치하시니 땅은 기뻐하며 많은 섬들은 즐거워하여라. 2 구름과 흑암이 그분의 주위에 있고 의와 공의가 그분의 보좌를 지지하는도다(보좌의 기초로다). 3 불이 그분 앞에서 나가고 그것은 주위의 대적자를 삼켜버리도다. 4 그분의 번개가 세상을 밝히고 땅이 보고 떠는도다. 5 산(들)은 여호와 앞에서 밀초같이 녹으며 모든 땅도 주 앞에서 그러하도다. 6 하늘(들)이 그분의 의를 선포하니 모든 나라들이 그분의 영광을 보았도다.

NET

1 The Lord reigns. Let the earth be happy. Let the many coastlands rejoice. 2 Dark clouds surround him; equity and justice are the foundation of his throne. 3 Fire goes before him; on every side it burns up his enemies. 4 His lightning bolts light up the world; the earth sees and trembles. 5 The mountains melt like wax before the Lord, before the Lord of the whole earth. 6 The sky declares his justice, and all the nations see his splendor.

7 יֵבֹשׁוּ ׀ כָּל־עֹבְדֵי פֶסֶל הַמִּתְהַלְלִים בָּאֱלִילִים הִשְׁתַּחֲווּ־לֹו
כָּל־אֱלֹהִים׃

8 שָׁמְעָה וַתִּשְׂמַח ׀ צִיֹּון וַתָּגֵלְנָה בְּנֹות יְהוּדָה לְמַעַן מִשְׁפָּטֶיךָ יְהוָה׃

9 כִּי־אַתָּה יְהוָה עֶלְיֹון עַל־כָּל־הָאָרֶץ מְאֹד נַעֲלֵיתָ עַל־כָּל־אֱלֹהִים׃

10 אֹהֲבֵי יְהוָה שִׂנְאוּ רָע שֹׁמֵר נַפְשֹׁות חֲסִידָיו מִיַּד רְשָׁעִים יַצִּילֵם׃

11 אֹור זָרֻעַ לַצַּדִּיק וּלְיִשְׁרֵי־לֵב שִׂמְחָה׃

12 שִׂמְחוּ צַדִּיקִים בַּיהוָה וְהֹודוּ לְזֵכֶר קָדְשֹׁו׃

맛싸성경

7 조각 신상(우상)을 섬기는 모든 자들과 이방 우상들로 자랑하는 자들은 수치를 당할 것이니 모든 신들아, 그분께 예배드려라. 8 여호와시여! 시온이 듣고 즐거워하며 유다의 딸들이 기뻐하니 주의 공의를 위함이니이다. 9 여호와시여! 이는 주는 모든 땅에서 가장 높으시고 모든 신들 위로 매우 고귀하시나이다. 10 여호와를 사랑하는 자들아, 악을 미워하라. 주께서 그 신실한 자들의 생명을 지키시고 악인들의 손에서부터 그들을 구출하실 것이라. 11 의인들을 위하여 빛을 심으시고 마음이 올바른 자를 위하여는 기쁨을 (심으시도다). 12 의인들아, 여호와를 즐거워하고 그분의 거룩한 (성호를) 기억하여 (감사함으로) 찬양하여라.

NET

7 All who worship idols are ashamed, those who boast about worthless idols. All the gods bow down before him. 8 Zion hears and rejoices, the towns of Judah are happy, because of your judgments, O Lord. 9 For you, O Lord, are the Most High over the whole earth; you are elevated high above all gods. 10 You who love the Lord, hate evil! He protects the lives of his faithful followers; he delivers them from the power of the wicked. 11 The godly bask in the light; the morally upright experience joy. 12 You godly ones, rejoice in the Lord. Give thanks to his holy name.

98 WLC

1 מִזְמוֹר שִׁירוּ לַיהוָה ׀ שִׁיר חָדָשׁ כִּי־נִפְלָאוֹת עָשָׂה הוֹשִׁיעָה־לּוֹ

יְמִינוֹ וּזְרוֹעַ קָדְשׁוֹ׃

2 הוֹדִיעַ יְהוָה יְשׁוּעָתוֹ לְעֵינֵי הַגּוֹיִם גִּלָּה צִדְקָתוֹ׃

3 זָכַר חַסְדּוֹ ׀ וֶאֱמוּנָתוֹ לְבֵית יִשְׂרָאֵל רָאוּ כָל־אַפְסֵי־אָרֶץ אֵת

יְשׁוּעַת אֱלֹהֵינוּ׃

맛싸성경

1 [시] 새 노래로 여호와께 노래하라. 이는 그분이 놀라운 일을 행하셨고 그분의 오른손과 그분의 거룩한 팔이 그분을 위하여 구원하셨음이라. 2 여호와께서 그분의 구원을 알리셨으며 민족들의 눈앞에서 그분의 의를 드러내셨도다. 3 그분은 이스라엘의 집에 그분의 인애와 그분의 신실함을 기억하셨으니 땅 끝의 모든 자들이 우리 하나님의 구원을 보았도다.

NET

1 A psalm. Sing to the Lord a new song, for he performs amazing deeds. His right hand and his mighty arm accomplish deliverance. 2 The Lord demonstrates his power to deliver; in the sight of the nations he reveals his justice. 3 He remains loyal and faithful to the family of Israel. All the ends of the earth see our God deliver us.

98 WLC

4 הָרִיעוּ לַיהוָה כָּל־הָאָרֶץ פִּצְחוּ וְרַנְּנוּ וְזַמֵּרוּ׃

5 זַמְּרוּ לַיהוָה בְּכִנּוֹר בְּכִנּוֹר וְקוֹל זִמְרָה׃

6 בַּחֲצֹצְרוֹת וְקוֹל שׁוֹפָר הָרִיעוּ לִפְנֵי ׀ הַמֶּלֶךְ יְהוָה׃

7 יִרְעַם הַיָּם וּמְלֹאוֹ תֵּבֵל וְיֹשְׁבֵי בָהּ׃

8 נְהָרוֹת יִמְחֲאוּ־כָף יַחַד הָרִים יְרַנֵּנוּ׃

9 לִפְנֵי־יְהוָה כִּי בָא לִשְׁפֹּט הָאָרֶץ יִשְׁפֹּט־תֵּבֵל בְּצֶדֶק וְעַמִּים בְּמֵישָׁרִים׃

맛싸성경

4 온 땅이여, 여호와께 (승리를) 외쳐라. 소리치며 (승리를) 외치고 찬송하여라. 5 여호와께 킨노르(수금) 곧 킨노르(수금)와 목소리로 찬송하여라. 6 나팔들과 양각 나팔 소리로 여호와 그 왕 앞에서 (승리를) 외쳐라. 7 바다는 큰 소리를 지르며 그 (안에) 가득 찬 것과 세상과 그 가운데 사는 자들도 (그리하라). 8 강들로 손뼉을 치고 산(들)으로 다 같이 큰 소리로 노래하게 하리니 9 여호와 앞에서 (할 것이라). 이는 그분이 땅을 심판하러 오시고 세상을 의로 (심판하시며) 백성들을 공평으로 심판하실 것이기 때문이라.

NET

4 Shout out praises to the Lord, all the earth. Break out in a joyful shout and sing! 5 Sing to the Lord accompanied by a harp, accompanied by a harp and the sound of music. 6 With trumpets and the blaring of the ram's horn, shout out praises before the king, the Lord. 7 Let the sea and everything in it shout, along with the world and those who live in it. 8 Let the rivers clap their hands! Let the mountains sing in unison 9 before the Lord. For he comes to judge the earth. He judges the world fairly, and the nations in a just manner.

ּ1 יְהוָה מָלָךְ יִרְגְּזוּ עַמִּים יֹשֵׁב כְּרוּבִים תָּנוּט הָאָרֶץ׃

2 יְהוָה בְּצִיּוֹן גָּדוֹל וְרָם הוּא עַל־כָּל־הָעַמִּים׃

3 יוֹדוּ שִׁמְךָ גָּדוֹל וְנוֹרָא קָדוֹשׁ הוּא׃

4 וְעֹז מֶלֶךְ מִשְׁפָּט אָהֵב אַתָּה כּוֹנַנְתָּ מֵישָׁרִים מִשְׁפָּט וּצְדָקָה בְּיַעֲקֹב

׀ אַתָּה עָשִׂיתָ׃

맛싸성경

1 여호와께서 통치하시니 백성들은 떨어라. (이는) 그분이 케룹(그룹)들 중에 앉아 계시니 땅은 진동하여라. 2 여호와는 시온에서 크시고 그분은 모든 백성들 위에서 높으시도다. 3 주의 위대하고 두려운 이름을 찬양하라. 그분은 거룩하시도다. 4 능력 (있는) 왕은 공의를 사랑하시도다. 주는 공평을 세우셨고 주는 야곱의 집에 심판과 정의를 행하시도다.

NET

1 The Lord reigns! The nations tremble. He sits enthroned above the cherubim; the earth shakes. 2 The Lord is elevated in Zion; he is exalted over all the nations. 3 Let them praise your great and awesome name. He is holy! 4 The king is strong; he loves justice. You ensure that legal decisions will be made fairly; you promote justice and equity in Jacob.

99 WLC

5 רוֹמְמוּ יְהוָה אֱלֹהֵינוּ וְהִשְׁתַּחֲווּ לַהֲדֹם רַגְלָיו קָדוֹשׁ הוּא׃

6 מֹשֶׁה וְאַהֲרֹן ׀ בְּכֹהֲנָיו וּשְׁמוּאֵל בְּקֹרְאֵי שְׁמוֹ קֹרִאים אֶל־יְהוָה וְהוּא יַעֲנֵם׃

7 בְּעַמּוּד עָנָן יְדַבֵּר אֲלֵיהֶם שָׁמְרוּ עֵדֹתָיו וְחֹק נָתַן־לָמוֹ׃

8 יְהוָה אֱלֹהֵינוּ אַתָּה עֲנִיתָם אֵל נֹשֵׂא הָיִיתָ לָהֶם וְנֹקֵם עַל־עֲלִילוֹתָם׃

9 רוֹמְמוּ יְהוָה אֱלֹהֵינוּ וְהִשְׁתַּחֲווּ לְהַר קָדְשׁוֹ כִּי־קָדוֹשׁ יְהוָה אֱלֹהֵינוּ׃

맛싸성경

5 너희들은 우리 하나님 여호와를 높이고 그분 발들의 발판에서 예배하여라. 그분은 거룩하심이라. 6 그분의 성직자 중에는 모세와 아론이 있으며 그의 이름을 부르는 자들 중에는 사무엘이 있도다. 그들은 여호와를 불렀고 그분은 그들에게 대답하셨도다. 7 그들의 하나님은 구름기둥 중에서 말씀하셨고 그들은 그분의 증거들과 그분이 그들에게 주신 규례를 지켰도다. 8 우리 하나님 여호와시여! 주는 그들에게 대답해 주셨나이다. 주는 그들의 행동을 갚으셨으나 그들을 용서하시는 하나님이시나이다. 9 (너희들은) 우리 하나님 여호와를 높이고 그분의 거룩한 산에서 그분을 예배하여라. 이는 우리 하나님 여호와는 거룩하심이라.

NET

5 Praise the Lord our God. Worship before his footstool. He is holy! 6 Moses and Aaron were among his priests; Samuel was one of those who prayed to him. They prayed to the Lord and he answered them. 7 He spoke to them from a pillar of cloud; they obeyed his regulations and the ordinance he gave them. 8 O Lord our God, you answered them. They found you to be a forgiving God, but also one who punished their sinful deeds. 9 Praise the Lord our God! Worship on his holy hill, for the Lord our God is holy.

WLC

מִזְמוֹר לְתוֹדָה הָרִיעוּ לַיהוָה כָּל־הָאָֽרֶץ: 1

עִבְדוּ אֶת־יְהוָה בְּשִׂמְחָה בֹּאוּ לְפָנָיו בִּרְנָנָֽה: 2

דְּעוּ כִּֽי־יְהוָה הוּא אֱלֹהִים הֽוּא־עָשָׂנוּ [וְלֹא כ] (וְלוֹ ק) אֲנַחְנוּ עַמּוֹ 3

וְצֹאן מַרְעִיתֽוֹ:

בֹּאוּ שְׁעָרָיו ׀ בְּתוֹדָה חֲצֵרֹתָיו בִּתְהִלָּה הֽוֹדוּ־לוֹ בָּרֲכוּ שְׁמֽוֹ: 4

כִּי־טוֹב יְהֹוָה לְעוֹלָם חַסְדּוֹ וְעַד־דֹּר וָדֹר אֱמוּנָתֽוֹ: 5

맛싸성경

1 [감사 시] 온 땅이여, 여호와께 크게 외쳐라. 2 즐거움으로 여호와를 섬기고 큰 기쁜 소리로 그분 앞에 나아가라. 3 그분은 여호와 하나님이심을 알아라. 그분이 우리를 만드셨으니 우리는 그분의 것이고 우리는 그분의 백성이며 그분 목장의 양이라. 4 그분의 문에 감사로 그분의 뜰에 찬양으로 들어가라. 그분께 (감사로) 찬양하고 그분의 이름을 송축하여라. 5 이는 여호와는 좋으시고 그분의 인애는 영원하시며 그분의 신실하심은 세대와 세대에 있기 때문이라.

NET

1 A thanksgiving psalm. Shout out praises to the Lord, all the earth! 2 Worship the Lord with joy. Enter his presence with joyful singing. 3 Acknowledge that the Lord is God. He made us and we belong to him, we are his people, the sheep of his pasture. 4 Enter his gates with thanksgiving and his courts with praise. Give him thanks. Praise his name. 5 For the Lord is good. His loyal love endures, and he is faithful through all generations.

1 לְדָוִד מִזְמֹור חֶסֶד־וּמִשְׁפָּט אָשִׁירָה לְךָ יְהוָה אֲזַמֵּרָה׃

2 אַשְׂכִּילָה ׀ בְּדֶרֶךְ תָּמִים מָתַי תָּבֹוא אֵלָי אֶתְהַלֵּךְ בְּתָם־לְבָבִי בְּקֶרֶב בֵּיתִי׃

3 לֹא־אָשִׁית ׀ לְנֶגֶד עֵינַי דְּבַר־בְּלִיָּעַל עֲשֹׂה־סֵטִים שָׂנֵאתִי לֹא יִדְבַּק בִּי׃

4 לֵבָב עִקֵּשׁ יָסוּר מִמֶּנִּי רָע לֹא אֵדָע׃

5 [מְלֹושְׁנִי כ] (מְלָשְׁנִי ק) בַסֵּתֶר ׀ רֵעֵהוּ אֹותֹו אַצְמִית גְּבַהּ־עֵינַיִם וּרְחַב

לֵבָב אֹתֹו לֹא אוּכָל׃

6 עֵינַי ׀ בְּנֶאֶמְנֵי־אֶרֶץ לָשֶׁבֶת עִמָּדִי הֹלֵךְ בְּדֶרֶךְ תָּמִים הוּא יְשָׁרְתֵנִי׃

7 לֹא־יֵשֵׁב ׀ בְּקֶרֶב בֵּיתִי עֹשֵׂה רְמִיָּה דֹּבֵר שְׁקָרִים לֹא־יִכֹּון לְנֶגֶד עֵינָי׃

8 לַבְּקָרִים אַצְמִית כָּל־רִשְׁעֵי־אָרֶץ לְהַכְרִית מֵעִיר־יְהוָה כָּל־פֹּעֲלֵי אָוֶן׃

맛싸성경

1 [다윗의 시] 내가 인애와 공평을 노래하나이다. 여호와시여! 내가 주께 찬송하나이다. 2 내가 온(완)전한 길을 주의하겠나이다. 주께서 언제 내게 오시나이까? 내가 내 집 안에서 온전한 마음으로 스스로 걷겠나이다. 3 내가 내 눈앞에 사악한 것을 두지 아니하고 내가 죄악을 행하는 자를 미워하여 내가 그것을 가까이 두지 아니 하나이다. 4 왜곡된 마음이 내게서부터 떠날 것이고 내가 악을 모르나이다. 5 그 이웃을 은밀히 중상하는 자를 멸할 것이고 눈들을 높이며 마음을 넓히는(오만한) 그를 내가 참지 않을 것이나이다. 6 내 눈이 땅에서 신실한 자들에게 있고 그들은 나와 함께 거할 것이나이다. 온전한 길을 걸으며 그는 나를 섬길 것이나이다. 7 속임수를 행하는 자는 내 집 가운데 거하지 못할 것이고 거짓을 말하는 자는 내 눈앞에서 서지 못할 것이나이다. 8 아침마다 내가 땅에서 모든 사악한 자들을 멸할 것이고 여호와의 도시에서부터 모든 사악을 행하는 자들을 끊을 것이나이다.

NET

1 A psalm of David. I will sing about loyalty and justice. To you, O Lord, I will sing praises. 2 I will walk in the way of integrity. When will you come to me? I will conduct my business with integrity in the midst of my palace. 3 I will not even consider doing what is dishonest. I hate doing evil; I will have no part of it. 4 I will have nothing to do with a perverse person; I will not permit evil. 5 I will destroy anyone who slanders his neighbor in secret. I will not tolerate anyone who has a haughty demeanor and an arrogant attitude. 6 I will favor the honest people of the land and allow them to live with me. Those who walk in the way of integrity will attend me. 7 Deceitful people will not live in my palace. Liars will not be welcome in my presence. 8 Each morning I will destroy all the wicked people in the land and remove all evildoers from the city of the Lord.

102 WLC

1 תְּפִלָּה לְעָנִי כִי־יַעֲטֹף וְלִפְנֵי יְהוָה יִשְׁפֹּךְ שִׂיחוֹ׃

2 יְהוָה שִׁמְעָה תְפִלָּתִי וְשַׁוְעָתִי אֵלֶיךָ תָבוֹא׃

3 אַל־תַּסְתֵּר פָּנֶיךָ ׀ מִמֶּנִּי בְּיוֹם צַר לִי הַטֵּה־אֵלַי אָזְנֶךָ בְּיוֹם אֶקְרָא מַהֵר עֲנֵנִי׃

4 כִּי־כָלוּ בְעָשָׁן יָמָי וְעַצְמוֹתַי כְּמוֹ־קֵד נִחָרוּ׃

5 הוּכָּה־כָעֵשֶׂב וַיִּבַשׁ לִבִּי כִּי־שָׁכַחְתִּי מֵאֲכֹל לַחְמִי׃

6 מִקּוֹל אַנְחָתִי דָּבְקָה עַצְמִי לִבְשָׂרִי׃

7 דָּמִיתִי לִקְאַת מִדְבָּר הָיִיתִי כְּכוֹס חֳרָבוֹת׃

8 שָׁקַדְתִּי וָאֶהְיֶה כְּצִפּוֹר בּוֹדֵד עַל־גָּג׃

맛싸성경

1(히, 102:1) [고통받는 자들의 기도. 그가 힘이 없을 때 또 그의 애통을 여호와 앞에 쏟아부을 때] (2) 여호와시여! 내 기도를 들으시고 내 부르짖음이 주께 이르게 하소서. 2(3) 나의 근심의 날에 내게서 주의 얼굴을 숨기지 마시고 주의 귀를 내게 향하여 내가 부르짖을 때 속히 내게 응답하소서. 3(4) 나의 날들이 연기로 다하고 내 뼈들이 화덕같이 타나이다. 4(5) 내 마음이 풀같이 시들고 말랐으니 이는 내가 음식 먹는 것도 잊었나이다. 5(6) 내가 목소리로 신음하였으므로 내 뼈가 내 살에 (달라) 붙었나이다. 6(7) 나는 광야의 올빼미 같으며 황무지의 부엉이같이 되었나이다. 7(8) 내가 잠을 이루지 못하여 옥상 위의 외로운 참새같이 되었나이다.

NET

1(H 102:1) The prayer of an oppressed man, as he grows faint and pours out his lament before the Lord. (2) O Lord, hear my prayer. Pay attention to my cry for help. 2(3) Do not ignore me in my time of trouble. Listen to me. When I call out to you, quickly answer me. 3(4) For my days go up in smoke, and my bones are charred as in a fireplace. 4(5) My heart is parched and withered like grass, for I am unable to eat food. 5(6) Because of the anxiety that makes me groan, my bones protrude from my skin. 6(7) I am like an owl in the wilderness; I am like a screech owl among the ruins. 7(8) I stay awake; I am like a solitary bird on a roof.

102 WLC

9 כָּל־הַיּוֹם חֵרְפוּנִי אוֹיְבָי מְהוֹלָלַי בִּי נִשְׁבָּעוּ׃

10 כִּי־אֵפֶר כַּלֶּחֶם אָכָלְתִּי וְשִׁקֻּוַי בִּבְכִי מָסָכְתִּי׃

11 מִפְּנֵי־זַעַמְךָ וְקִצְפֶּךָ כִּי נְשָׂאתַנִי וַתַּשְׁלִיכֵנִי׃

12 יָמַי כְּצֵל נָטוּי וַאֲנִי כָּעֵשֶׂב אִיבָשׁ׃

13 וְאַתָּה יְהוָה לְעוֹלָם תֵּשֵׁב וְזִכְרְךָ לְדֹר וָדֹר׃

14 אַתָּה תָקוּם תְּרַחֵם צִיּוֹן כִּי־עֵת לְחֶנְנָהּ כִּי־בָא מוֹעֵד׃

15 כִּי־רָצוּ עֲבָדֶיךָ אֶת־אֲבָנֶיהָ וְאֶת־עֲפָרָהּ יְחֹנֵנוּ׃

맛싸성경

8(히, 102:9) 내 원수들이 온종일 나를 비웃고 나를 조롱하는 사람들이 나를 (저주하는) 맹세를 하나이다. 9(10) 그러므로 나는 양식같이 재를 먹으며 내 음료에 내 눈물을 섞었나이다. 10(11) (이는) 주의 분노와 주의 진노 때문이니 참으로 주께서 나를 던지셨나이다. 11(12) 내 날들이 기우는 그림자 같으며 나는 풀처럼 마르나이다. 12(13) 그러나 여호와시여! 주께서는 영원히 보좌에 앉으시며 주에 대한 기억은 대대에 이르나이다. 13(14) 주께서 일어나셔서 (주께서) 시온을 불쌍히 여기소서. 이는 그 은혜를 위한 때이며 정하신 때가 왔음이니이다. 14(15) 이는 주의 종들이 그 돌들을 기뻐하고 그 먼지도 애정을 가짐이니이다.

NET

8(H 102:9) All day long my enemies taunt me; those who mock me use my name in their curses. 9(10) For I eat ashes as if they were bread, and mix my drink with my tears, 10(11) because of your anger and raging fury. Indeed, you pick me up and throw me away. 11(12) My days are coming to an end, and I am withered like grass. 12(13) But you, O Lord, rule forever, and your reputation endures. 13(14) You will rise up and have compassion on Zion. For it is time to have mercy on her, for the appointed time has come. 14(15) Indeed, your servants take delight in her stones and feel compassion for the dust of her ruins.

102 WLC

16 וְיִירְא֣וּ ג֭וֹיִם אֶת־שֵׁ֣ם יְהוָ֑ה וְֽכָל־מַלְכֵ֥י הָ֝אָ֗רֶץ אֶת־כְּבוֹדֶֽךָ׃

17 כִּֽי־בָנָ֣ה יְהוָ֣ה צִיּ֑וֹן נִ֝רְאָ֗ה בִּכְבוֹדֽוֹ׃

18 פָּ֭נָה אֶל־תְּפִלַּ֣ת הָעַרְעָ֑ר וְלֹֽא־בָ֝זָ֗ה אֶת־תְּפִלָּתָֽם׃

19 תִּכָּ֣תֶב זֹ֭את לְד֣וֹר אַחֲר֑וֹן וְעַ֥ם נִ֝בְרָ֗א יְהַלֶּל־יָֽהּ׃

20 כִּֽי־הִ֭שְׁקִיף מִמְּר֣וֹם קָדְשׁ֑וֹ יְ֝הוָ֗ה מִשָּׁמַ֤יִם ׀ אֶל־אֶ�’רֶץ הִבִּֽיט׃

21 לִ֭שְׁמֹעַ אֶנְקַ֣ת אָסִ֑יר לְ֝פַתֵּ֗חַ בְּנֵ֣י תְמוּתָֽה׃

22 לְסַפֵּ֣ר בְּ֭צִיּוֹן שֵׁ֣ם יְהוָ֑ה וּ֝תְהִלָּת֗וֹ בִּירוּשָׁלָֽםִ׃

23 בְּהִקָּבֵ֣ץ עַמִּ֣ים יַחְדָּ֑ו וּ֝מַמְלָכ֗וֹת לַעֲבֹ֥ד אֶת־יְהוָֽה׃

맛싸성경

15(히, 102:16) 민족들이 여호와의 이름을 경외하고 땅의 모든 왕들이 주의 영광을 경외할 것이니이다. 16(17) 이는 여호와께서 시온을 세우시고 그분의 영광 가운데 나타나실 것임이니이다. 17(18) 그분은 헐벗은 자의 기도를 향하시고 그들의 기도를 멸시하지 않으시나이다. 18(19) 이것이 세대와 그다음 세대까지 기록될 것이니 창조될 백성이 여호와를 찬양할 것이라. 19(20) 이는 여호와께서 그분의 성소 높은 곳에서 내려다보시며 하늘에서 땅을 살피셨으니 20(21) 갇힌 자의 탄식을 들으시고 죽음에 처하게 된 자들을 해방하여 21(22) 시온에서 여호와의 이름을 선포하며 예루살렘에서 그분이 찬송이 되게 하려 함이라. 22(23) 백성들과 나라들이 다 같이 여호와를 섬기러 모일 때라.

NET

15(H 102:16) The nations will respect the reputation of the Lord, and all the kings of the earth will respect his splendor 16(17) when the Lord rebuilds Zion and reveals his splendor, 17(18) when he responds to the prayer of the destitute and does not reject their request. 18(19) The account of his intervention will be recorded for future generations; people yet to be born will praise the Lord. 19(20) For he will look down from his sanctuary above; from heaven the Lord will look toward earth, 20(21) in order to hear the painful cries of the prisoners and to set free those condemned to die, 21(22) so they may proclaim the name of the Lord in Zion and praise him in Jerusalem 22(23) when the nations gather together, and the kingdoms pay tribute to the Lord.

24 עִנָּה בַדֶּרֶךְ [כֹּחֹו כ] (כֹּחִי ק) קִצַּר יָמָי׃

25 אֹמַר אֵלִי אַל־תַּעֲלֵנִי בַּחֲצִי יָמָי בְּדֹור דֹּורִים שְׁנֹותֶיךָ׃

26 לְפָנִים הָאָרֶץ יָסַדְתָּ וּמַעֲשֵׂה יָדֶיךָ שָׁמָיִם׃

27 הֵמָּה ׀ יֹאבֵדוּ וְאַתָּה תַעֲמֹד וְכֻלָּם כַּבֶּגֶד יִבְלוּ כַּלְּבוּשׁ תַּחֲלִיפֵם

וְיַחֲלֹפוּ׃

28 וְאַתָּה־הוּא וּשְׁנֹותֶיךָ לֹא יִתָּמּוּ׃

29 בְּנֵי־עֲבָדֶיךָ יִשְׁכֹּונוּ וְזַרְעָם לְפָנֶיךָ יִכֹּון׃

맛싸성경

23(히, 102:24) 주께서 내 기력(힘)을 중도에 치셔서 내 수명을 단축시키셨나이다. 24(25) 내가 구하기를 " 나의 하나님. 내 날의 중간에(중년에) 나를 데려가지 마 소서." 주의 연대는 대대에 이르나이다. 25(26) 옛적에 주께서 땅의 기초를 세우셨고 주의 손이 하늘을 만드셨 나이다. 26(27) 그들은 사라져도 주께서는 여전히 계 시며 그들은 다 옷같이 낡아지고 의복같이 그들을 바꾸 시면 그들은 변하여지나 27(28) 그러나 주께서는 동일 하시니 주의 연대는 끝이 없나이다. 28(29) 주의 종들 의 자손이 (안전히) 살 것이며 그들의 후손도 주 앞에서 지속할 것이니이다.

NET

23(H 102:24) He has taken away my strength in the middle of life; he has cut short my days. 24(25) I say, "O my God, please do not take me away in the middle of my life. You endure through all generations. 25(26) In earlier times you established the earth; the skies are your handiwork. 26(27) They will perish, but you will endure. They will wear out like a garment; like clothes you will remove them and they will disappear. 27(28) But you remain; your years do not come to an end. 28(29) The children of your servants will settle down here, and their descendants will live securely in your presence."

103 WLC

1 לְדָוִד ׀ בָּרֲכִי נַפְשִׁי אֶת־יְהוָה וְכָל־קְרָבַי אֶת־שֵׁם קָדְשֽׁוֹ׃

2 בָּרֲכִי נַפְשִׁי אֶת־יְהוָה וְאַל־תִּשְׁכְּחִי כָּל־גְּמוּלָֽיו׃

3 הַסֹּלֵחַ לְכָל־עֲוֺנֵכִי הָרֹפֵא לְכָל־תַּחֲלֻאָֽיְכִי׃

4 הַגּוֹאֵל מִשַּׁחַת חַיָּיְכִי הַֽמְעַטְּרֵכִי חֶסֶד וְרַחֲמִֽים׃

5 הַמַּשְׂבִּיַע בַּטּוֹב עֶדְיֵךְ תִּתְחַדֵּשׁ כַּנֶּשֶׁר נְעוּרָֽיְכִי׃

6 עֹשֵׂה צְדָקוֹת יְהוָה וּמִשְׁפָּטִים לְכָל־עֲשׁוּקִֽים׃

7 יוֹדִיעַ דְּרָכָיו לְמֹשֶׁה לִבְנֵי יִשְׂרָאֵל עֲלִילוֹתָֽיו׃

맛싸성경

1 [다윗의 시] 내 영혼아, 여호와를 송축하라. 내 속에 있는 모든 것들아, 그분의 거룩하신 이름을 (송축하라). 2 내 영혼아, 여호와를 송축하라. 그분의 모든 베푸심을 잊지 마라. 3 (주께서) 네 모든 죄책을 용서하시고 네 모든 병들을 치료하시며 4 구덩이에서 네 생명을 구속하시고 인애와 긍휼로 네게 관을 씌우시며 5 네 장식들을 좋은 것으로 만족하게 하시니 네 젊음(을) 독수리처럼 새롭게 하시도다. 6 여호와께서 의를 행하시고 억눌린 모든 사람에게 공의를 행하시도다. 7 그분은 자신의 길을 모세에게 자신이 하신 일을 이스라엘 자손에게 알리셨도다.

NET

1 By David. Praise the Lord, O my soul. With all that is within me, praise his holy name. 2 Praise the Lord, O my soul. Do not forget all his kind deeds. 3 He is the one who forgives all your sins, who heals all your diseases, 4 who delivers your life from the Pit, who crowns you with his loyal love and compassion, 5 who satisfies your life with good things, so your youth is renewed like an eagle's. 6 The Lord does what is fair, and executes justice for all the oppressed. 7 The Lord revealed his faithful acts to Moses, his deeds to the Israelites.

WLC

8 רַחוּם וְחַנּוּן יְהוָה אֶרֶךְ אַפַּיִם וְרַב־חָסֶד:

9 לֹא־לָנֶצַח יָרִיב וְלֹא לְעוֹלָם יִטּוֹר:

10 לֹא כַחֲטָאֵינוּ עָשָׂה לָנוּ וְלֹא כַעֲוֹנֹתֵינוּ גָּמַל עָלֵינוּ:

11 כִּי כִגְבֹהַּ שָׁמַיִם עַל־הָאָרֶץ גָּבַר חַסְדּוֹ עַל־יְרֵאָיו:

12 כִּרְחֹק מִזְרָח מִמַּעֲרָב הִרְחִיק מִמֶּנּוּ אֶת־פְּשָׁעֵינוּ:

13 כְּרַחֵם אָב עַל־בָּנִים רִחַם יְהוָה עַל־יְרֵאָיו:

14 כִּי־הוּא יָדַע יִצְרֵנוּ זָכוּר כִּי־עָפָר אֲנָחְנוּ:

맛싸성경

8 여호와는 긍휼히 여기시고 은혜로우시며 진노를 오래 참으시고 인애가 많으시도다. 9 그분은 영영히 소송하지 않으시고 분노를 영원히 품지도 않으시도다. 10 우리의 죄책에 따라 우리에게 행하시지 않으시고 우리의 죄악대로 우리에게 베푸시지(대하시지) 않으시도다. 11 이는 하늘이 땅 위에 높은 것같이 그분을 경외하는 사람들에게 그분의 인애가 크시기 때문이라. 12 동이 서에서 먼 것같이 주께서 우리의 위반을 우리에게서부터 멀리 옮기셨도다. 13 아버지가 자식을 불쌍히 여기듯 여호와께서 그분을 경외하는 사람들을 불쌍히 여기시도다. 14 이는 그분이 우리의 지으짐을 아시며 우리가 티끌임을 기억하시기 때문이로다.

NET

8 The Lord is compassionate and merciful; he is patient and demonstrates great loyal love. 9 He does not always accuse and does not stay angry. 10 He does not deal with us as our sins deserve; he does not repay us as our misdeeds deserve. 11 For as the skies are high above the earth, so his loyal love towers over his faithful followers. 12 As far as the eastern horizon is from the west, so he removes the guilt of our rebellious actions from us. 13 As a father has compassion on his children, so the Lord has compassion on his faithful followers. 14 For he knows what we are made of; he realizes we are made of clay.

103 WLC

15 אֱנוֹשׁ כֶּחָצִיר יָמָיו כְּצִיץ הַשָּׂדֶה כֵּן יָצִיץ׃

16 כִּי רוּחַ עָבְרָה־בּוֹ וְאֵינֶנּוּ וְלֹא־יַכִּירֶנּוּ עוֹד מְקוֹמוֹ׃

17 וְחֶסֶד יְהוָה ׀ מֵעוֹלָם וְעַד־עוֹלָם עַל־יְרֵאָיו וְצִדְקָתוֹ לִבְנֵי בָנִים׃

18 לְשֹׁמְרֵי בְרִיתוֹ וּלְזֹכְרֵי פִקֻּדָיו לַעֲשׂוֹתָם׃

19 יְהוָה בַּשָּׁמַיִם הֵכִין כִּסְאוֹ וּמַלְכוּתוֹ בַּכֹּל מָשָׁלָה׃

20 בָּרֲכוּ יְהוָה מַלְאָכָיו גִּבֹּרֵי כֹחַ עֹשֵׂי דְבָרוֹ לִשְׁמֹעַ בְּקוֹל דְּבָרוֹ׃

21 בָּרֲכוּ יְהוָה כָּל־צְבָאָיו מְשָׁרְתָיו עֹשֵׂי רְצוֹנוֹ׃

22 בָּרֲכוּ יְהוָה ׀ כָּל־מַעֲשָׂיו בְּכָל־מְקֹמוֹת מֶמְשַׁלְתּוֹ בָּרֲכִי נַפְשִׁי

אֶת־יְהוָה׃

맛싸성경

15 인생은 그날이 풀과 같으며 들의 꽃처럼 피었다가 16 바람이 그 위로 지나가면 그것이 사라지니 그 있던 곳도 더 이상 인식할 수 없도다. 17 여호와의 인애는 그분을 경외하는 자들에게 영원부터 영원까지 계시고 그분의 의는 자손들의 자손들에게 계시니 18 그분의 언약을 지키는 자들과 그것들을 행하는 그분의 교훈을 기억하는 자들에게로다. 19 여호와께서는 그분의 보좌를 하늘에 세우시고 그분의 왕국이 모든 것을 다스리시도다. 20 여호와를 송축하라. 그분의 모든 천사들아. 그분의 말씀의 목소리를 들으려는 그분의 말씀을 행하는 힘 있는 용사들아. 21 여호와를 송축하라. 그분의 모든 군대들아. 그분의 뜻을 행하여 섬기는 사람들아. 22 그분이 다스리시는 모든 곳에 있는 그분이 만드신 모든 것들아, 여호와를 송축하라. 내 영혼아, 여호와를 송축하라.

NET

15 A person's life is like grass. Like a flower in the field it flourishes, 16 but when the hot wind blows, it disappears, and one can no longer even spot the place where it once grew. 17 But the Lord continually shows loyal love to his faithful followers and is faithful to their descendants, 18 to those who keep his covenant, who are careful to obey his commands. 19 The Lord has established his throne in heaven; his kingdom extends over everything. 20 Praise the Lord, you angels of his, you powerful warriors who carry out his decrees and obey his orders. 21 Praise the Lord, all you warriors of his, you servants of his who carry out his desires. 22 Praise the Lord, all that he has made, in all the regions of his kingdom. Praise the Lord, O my soul.

1 בָּרֲכִי נַפְשִׁי אֶת־יְהוָה יְהוָה אֱלֹהַי גָּדַלְתָּ מְּאֹד הוֹד וְהָדָר לָבָשְׁתָּ׃

2 עֹטֶה־אוֹר כַּשַּׂלְמָה נוֹטֶה שָׁמַיִם כַּיְרִיעָה׃

3 הַמְקָרֶה בַמַּיִם עֲלִיּוֹתָיו הַשָּׂם־עָבִים רְכוּבוֹ הַמְהַלֵּךְ עַל־כַּנְפֵי־רוּחַ׃

4 עֹשֶׂה מַלְאָכָיו רוּחוֹת מְשָׁרְתָיו אֵשׁ לֹהֵט׃

5 יָסַד־אֶרֶץ עַל־מְכוֹנֶיהָ בַּל־תִּמּוֹט עוֹלָם וָעֶד׃

6 תְּהוֹם כַּלְּבוּשׁ כִּסִּיתוֹ עַל־הָרִים יַעַמְדוּ־מָיִם׃

7 מִן־גַּעֲרָתְךָ יְנוּסוּן מִן־קוֹל רַעַמְךָ יֵחָפֵזוּן׃

8 יַעֲלוּ הָרִים יֵרְדוּ בְקָעוֹת אֶל־מְקוֹם זֶה ׀ יָסַדְתָּ לָהֶם׃

맛싸성경

1 내 영혼아, 여호와를 송축하라. 여호와 내 하나님이시여! 주께서는 매우 광대하시고 주께서는 존귀와 위엄으로 옷을 입으셨나이다. 2 (주께서) 빛을 옷같이 자신을 싸매시고(두르시고) 하늘을 휘장처럼 펼치시도다. 3 물 위에 주의 거실(방)의 골조를 놓으시고 구름을 주의 수레로 두시며 바람 날개 위에서 거니시나이다. 4 바람을 주의 사자로 만드시고 타오르는 불도 주의 섬기는 자가 (되게) 하시나이다. 5 주께서 그 터 위에 땅을 기초로 놓으시니 영원 무궁히 흔들리지 않게 하시나이다. 6 주께서 깊은 물로 옷같이 그것(땅)을 덮으시니 물들이 산(들) 위에 섰나이다. 7 주의 책망으로 (그것들이) 도망하며 주의 천둥소리들로 (그것들이) 급히 물러나나이다. 8 산(들)은 올라가고 골짜기는 그 장소로 내려가니 곧 주께서 그것(물)들을 위해 터를 놓으신 곳이나이다.

NET

1 Praise the Lord, O my soul! O Lord my God, you are magnificent. You are robed in splendor and majesty. 2 He covers himself with light as if it were a garment. He stretches out the skies like a tent curtain 3 and lays the beams of the upper rooms of his palace on the rain clouds. He makes the clouds his chariot and travels on the wings of the wind. 4 He makes the winds his messengers and the flaming fire his attendant. 5 He established the earth on its foundations; it will never be moved. 6 The watery deep covered it like a garment; the waters reached above the mountains. 7 Your shout made the waters retreat; at the sound of your thunderous voice they hurried off— 8 as the mountains rose up and the valleys went down—to the place you appointed for them.

9 גְּבוּל־שַׂמְתָּ בַּל־יַעֲבֹרוּן בַּל־יְשׁוּבוּן לְכַסּוֹת הָאָרֶץ׃

10 הַמְשַׁלֵּחַ מַעְיָנִים בַּנְּחָלִים בֵּין הָרִים יְהַלֵּכוּן׃

11 יַשְׁקוּ כָּל־חַיְתוֹ שָׂדָי יִשְׁבְּרוּ פְרָאִים צְמָאָם׃

12 עֲלֵיהֶם עוֹף־הַשָּׁמַיִם יִשְׁכּוֹן מִבֵּין עֳפָאיִם יִתְּנוּ־קוֹל׃

13 מַשְׁקֶה הָרִים מֵעֲלִיּוֹתָיו מִפְּרִי מַעֲשֶׂיךָ תִּשְׂבַּע הָאָרֶץ׃

14 מַצְמִיחַ חָצִיר ׀ לַבְּהֵמָה וְעֵשֶׂב לַעֲבֹדַת הָאָדָם לְהוֹצִיא לֶחֶם מִן־הָאָרֶץ׃

15 וְיַיִן ׀ יְשַׂמַּח לְבַב־אֱנוֹשׁ לְהַצְהִיל פָּנִים מִשָּׁמֶן וְלֶחֶם לְבַב־אֱנוֹשׁ יִסְעָד׃

맛싸성경

9 주께서 경계를 두시고 그것(물)들이 넘지 못하게 하셨으며 그것(물)들이 땅을 덮기 위해 되돌아오지 못하게 하시나이다. 10 (주께서) 골짜기들에 샘물들을 보내고 산(들) 사이로 그것들이 흐르게 하시니 11 들에서 모든 짐승들이 마시고 들나귀도 그들의 갈증을 해소하며 12 그곳에 하늘의 새들이 거주하고 그것들은 나뭇가지들 사이에서 목소리를 내나이다. 13 그분의 거실에서 산(들)에 물을 내시니 주의 일의 열매로 땅이 만족하고 있나이다. 14 가축을 위하여 풀을 자라게 하시고 사람을 섬기기 위하여 채소를 자라게 하시며 땅에서부터 양식이 나오게 하셨고 15 포도주는 사람의 마음을 기쁘게 하며 기름은 사람의 얼굴을 빛나게 하고 양식은 사람의 마음을 든든하게 하셨나이다.

NET

9 You set up a boundary for them that they could not cross, so that they would not cover the earth again. 10 He turns springs into streams; they flow between the mountains. 11 They provide water for all the animals in the field; the wild donkeys quench their thirst. 12 The birds of the sky live beside them; they chirp among the bushes. 13 He waters the mountains from the upper rooms of his palace; the earth is full of the fruit you cause to grow. 14 He provides grass for the cattle and crops for people to cultivate, so they can produce food from the ground 15 as well as wine that makes people glad, and olive oil to make their faces shine as well as bread that sustains them.

104 WLC

16 יִשְׂבְּעוּ עֲצֵי יְהוָה אַרְזֵי לְבָנוֹן אֲשֶׁר נָטָע:

17 אֲשֶׁר־שָׁם צִפֳּרִים יְקַנֵּנוּ חֲסִידָה בְּרוֹשִׁים בֵּיתָהּ:

18 הָרִים הַגְּבֹהִים לַיְּעֵלִים סְלָעִים מַחְסֶה לַשְׁפַנִּים:

19 עָשָׂה יָרֵחַ לְמוֹעֲדִים שֶׁמֶשׁ יָדַע מְבוֹאוֹ:

20 תָּשֶׁת־חֹשֶׁךְ וִיהִי לָיְלָה בּוֹ־תִרְמֹשׂ כָּל־חַיְתוֹ־יָעַר:

21 הַכְּפִירִים שֹׁאֲגִים לַטָּרֶף וּלְבַקֵּשׁ מֵאֵל אָכְלָם:

22 תִּזְרַח הַשֶּׁמֶשׁ יֵאָסֵפוּן וְאֶל־מְעוֹנֹתָם יִרְבָּצוּן:

23 יֵצֵא אָדָם לְפָעֳלוֹ וְלַעֲבֹדָתוֹ עֲדֵי־עָרֶב:

맛싸성경

16 여호와의 나무들이 만족하니 (곧) 주께서 심으신 레바논의 삼나무(개잎갈나무)이나이다. 17 거기에 참새들이 보금자리를 만들고 황새도 측백나무에 집을 짓나이다. 18 높은 산은 산양을 위한 곳이며 바위는 너구리의 피난처이나이다. 19 주께서 때를 위하여 달을 만드시고 태양으로 그 지는 때를 알게 하셨나이다. 20 주께서 어두움을 드리우시면 밤이 되어 숲의 온갖 짐승들이 그곳에서 기어다니나이다. 21 젊은 사자는 먹이를 위해 부르짖으며 하나님께 그들의 먹을 것을 구하다가 22 해가 돋으면 그것(젊은 사자)들은 모여서 자신들의 굴에서 드러눕나이다. 23 사람은 자기 일을 위해 나와서 자기 일을 저녁까지 하나이다.

NET

16 The trees of the Lord receive all the rain they need, the cedars of Lebanon that he planted, 17 where the birds make nests near the evergreens in which the herons live. 18 The wild goats live in the high mountains; the rock badgers find safety in the cliffs. 19 He made the moon to mark the months, and the sun sets according to a regular schedule. 20 You make it dark and night comes, during which all the beasts of the forest prowl around. 21 The lions roar for prey, seeking their food from God. 22 When the sun rises, they withdraw and sleep in their dens. 23 People then go out to do their work, and they labor until evening.

104 WLC

24 מָה־רַבּוּ מַעֲשֶׂיךָ ׀ יְהוָה כֻּלָּם בְּחָכְמָה עָשִׂיתָ מָלְאָה

הָאָרֶץ קִנְיָנֶךָ׃

25 זֶה ׀ הַיָּם גָּדוֹל וּרְחַב יָדָיִם שָׁם־רֶמֶשׂ וְאֵין מִסְפָּר חַיּוֹת קְטַנּוֹת

עִם־גְּדֹלוֹת׃

26 שָׁם אֳנִיּוֹת יְהַלֵּכוּן לִוְיָתָן זֶה־יָצַרְתָּ לְשַׂחֶק־בּוֹ׃

27 כֻּלָּם אֵלֶיךָ יְשַׂבֵּרוּן לָתֵת אָכְלָם בְּעִתּוֹ׃

28 תִּתֵּן לָהֶם יִלְקֹטוּן תִּפְתַּח יָדְךָ יִשְׂבְּעוּן טוֹב׃

29 תַּסְתִּיר פָּנֶיךָ יִבָּהֵלוּן תֹּסֵף רוּחָם יִגְוָעוּן וְאֶל־עֲפָרָם יְשׁוּבוּן׃

맛싸성경

24 여호와시여! 주께서 하신 일이 어찌 그리 많으신 지요. 주께서 이 모든 것을 지혜로 지으셨으니 땅이 주의 소유로 가득하나이다. 25 저 크고 넓은 바다 그 속에서 기어다니는 것이 있고 크고 작은 생물이 셀 수 가 없나이다. 26 거기에는 배들이 오가며 주께서 지으신 리버야탄이 그곳에서 즐기나이다. 27 때를 따라 그들의 먹을 것을 주시도록 모든 것들이 다 주를 기다리나이다. 28 주께서 그들에게 주시면 그들이 받아먹고 주께서 주의 손을 펴시면 그들이 좋은 것으로 만족하나이다. 29 주께서 주의 얼굴을 숨기시면 그들이 두려워하고 주께서 저희의 호흡을 거두시면 그들이 죽어 티끌로 돌아가고 마나이다.

NET

24 How many living things you have made, O Lord! You have exhibited great skill in making all of them; the earth is full of the living things you have made. 25 Over here is the deep, wide sea, which teems with innumerable swimming creatures, living things both small and large. 26 The ships travel there, and over here swims the whale you made to play in it. 27 All your creatures wait for you to provide them with food on a regular basis. 28 You give food to them and they receive it; you open your hand and they are filled with food. 29 When you ignore them, they panic. When you take away their life's breath, they die and return to dust.

104 WLC

30 תְּשַׁלַּח רוּחֲךָ יִבָּרֵאוּן וּתְחַדֵּשׁ פְּנֵי אֲדָמָה׃

31 יְהִי כְבוֹד יְהוָה לְעוֹלָם יִשְׂמַח יְהוָה בְּמַעֲשָׂיו׃

32 הַמַּבִּיט לָאָרֶץ וַתִּרְעָד יִגַּע בֶּהָרִים וְיֶעֱשָׁנוּ׃

33 אָשִׁירָה לַיהוָה בְּחַיָּי אֲזַמְּרָה לֵאלֹהַי בְּעוֹדִי׃

34 יֶעֱרַב עָלָיו שִׂיחִי אָנֹכִי אֶשְׂמַח בַּיהוָה׃

35 יִתַּמּוּ חַטָּאִים ׀ מִן־הָאָרֶץ וּרְשָׁעִים ׀ עוֹד אֵינָם בָּרְכִי נַפְשִׁי

אֶת־יְהוָה הַלְלוּ־יָהּ׃

맛싸성경

30 주께서 주의 영을 보내시면 그들이 창조되니 주께서 지면을 새롭게 하시나이다. 31 여호와의 영광이 영원하며 여호와께서 그분의 하신 일로 기뻐하실 것이니이다. 32 (주께서) 땅을 내어 보시니 그것(땅)이 떨고 그분이 산(들)을 만지시니 그것(산)들이 연기를 내뿜나이다. 33 내 평생 여호와께 노래하며 내가 사는 동안 내 하나님을 찬송하겠나이다. 34 내 묵상이 주를 즐겁게 해 드리기를 바라며 내가 여호와 안에서 기뻐하겠나이다. 35 죄인들이 이 땅에서 소멸되게 하시고 다시는 사악한 자들이 없게 하소서. 내 영혼아, 여호와를 송축하라. 할렐루야.

NET

30 When you send your life-giving breath, they are created, and you replenish the surface of the ground. 31 May the splendor of the Lord endure. May the Lord find pleasure in the living things he has made. 32 He looks down on the earth and it shakes; he touches the mountains and they start to smolder. 33 I will sing to the Lord as long as I live; I will sing praise to my God as long as I exist. 34 May my thoughts be pleasing to him. I will rejoice in the Lord. 35 May sinners disappear from the earth, and the wicked vanish. Praise the Lord, O my soul. Praise the Lord.

105 WLC

1 הוֹדוּ לַיהוָה קִרְאוּ בִשְׁמוֹ הוֹדִיעוּ בָעַמִּים עֲלִילוֹתָיו׃

2 שִׁירוּ־לוֹ זַמְּרוּ־לוֹ שִׂיחוּ בְּכָל־נִפְלְאוֹתָיו׃

3 הִתְהַלְלוּ בְּשֵׁם קָדְשׁוֹ יִשְׂמַח לֵב ׀ מְבַקְשֵׁי יְהוָה׃

4 דִּרְשׁוּ יְהוָה וְעֻזּוֹ בַּקְּשׁוּ פָנָיו תָּמִיד׃

5 זִכְרוּ נִפְלְאוֹתָיו אֲשֶׁר־עָשָׂה מֹפְתָיו וּמִשְׁפְּטֵי־פִיו׃

6 זֶרַע אַבְרָהָם עַבְדּוֹ בְּנֵי יַעֲקֹב בְּחִירָיו׃

맛싸성경

1 여호와께 (감사로) 찬양하며 그분의 이름을 공포하라. 주께서 하신 일을 백성들 중에 알게 하라. 2 그분께 노래하며 그분께 찬송하여라. 주의 모든 놀라운 일을 (찬양으로) 큰 소리 낼지어다. 3 주의 거룩하신 이름을 자랑하여라. 여호와를 찾는 사람의 마음으로 즐거워하게 하여라. 4 여호와와 그분의 능력을 구하라. 항상 그분의 얼굴을 찾아라. 5 주께서 (하신) 놀라운 일들을 기억하고 주의 이적들과 (그분의) 입의 판결들도 기억하여라. 6 주의 종 아브라함의 후손들아, 주께서 택하신 야곱의 자손들아.

NET

1 Give thanks to the Lord. Call on his name. Make known his accomplishments among the nations. 2 Sing to him. Make music to him. Tell about all his miraculous deeds. 3 Boast about his holy name. Let the hearts of those who seek the Lord rejoice. 4 Seek the Lord and the strength he gives. Seek his presence continually. 5 Recall the miraculous deeds he performed, his mighty acts and the judgments he decreed, 6 O children of Abraham, God's servant, you descendants of Jacob, God's chosen ones.

7 ‏הוּא יְהוָה אֱלֹהֵינוּ בְּכָל־הָאָרֶץ מִשְׁפָּטָיו:

8 ‏זָכַר לְעוֹלָם בְּרִיתוֹ דָּבָר צִוָּה לְאֶלֶף דּוֹר:

9 ‏אֲשֶׁר כָּרַת אֶת־אַבְרָהָם וּשְׁבוּעָתוֹ לְיִשְׂחָק:

10 ‏וַיַּעֲמִידֶהָ לְיַעֲקֹב לְחֹק לְיִשְׂרָאֵל בְּרִית עוֹלָם:

11 ‏לֵאמֹר לְךָ אֶתֵּן אֶת־אֶרֶץ־כְּנָעַן חֶבֶל נַחֲלַתְכֶם:

12 ‏בִּהְיוֹתָם מְתֵי מִסְפָּר כִּמְעַט וְגָרִים בָּהּ:

13 ‏וַיִּתְהַלְּכוּ מִגּוֹי אֶל־גּוֹי מִמַּמְלָכָה אֶל־עַם אַחֵר:

맛싸성경

7 그분은 여호와 우리 하나님이시며 그분의 판결이 온 땅에 있도다. 8 그분의 언약 곧 주께서 천 대에 명령 하신 말씀을 주께서 영원히 기억하시니 9 주께서 아 브라함과 맺으신 것이고 이삭에게 하신 그분의 맹세 이며 10 야곱에게 세우신 규례이고 이스라엘을 위한 영원한 언약이로다. 11 "내가 네게 가나안 땅을 너희 유업의 몫으로 줄 것이다."고 주께서 말씀하셨도다. 12 그들은 수가 매우 적은 사람들이 거기에서 나그네 (들)이 되어 13 이 민족에게서 저 민족에게로 한 나라 에서 다른 백성에게로 그들이 떠돌아다닐 때에도

NET

7 He is the Lord our God; he carries out judgment throughout the earth. 8 He always remembers his covenantal decree, the promise he made to a thousand generations— 9 the promise he made to Abraham, the promise he made by oath to Isaac. 10 He gave it to Jacob as a decree, to Israel as a lasting promise, 11 saying, "To you I will give the land of Canaan as the portion of your inheritance." 12 When they were few in number, just a very few, and resident foreigners within it, 13 they wandered from nation to nation, and from one kingdom to another.

105 WLC

14 לֹא־הִנִּ֣יחַ אָדָ֣ם לְעָשְׁקָ֑ם וַיּ֖וֹכַח עֲלֵיהֶ֣ם מְלָכִֽים׃

15 אַֽל־תִּגְּע֥וּ בִמְשִׁיחָ֑י וְֽלִנְבִיאַ֗י אַל־תָּרֵֽעוּ׃

16 וַיִּקְרָ֣א רָ֭עָב עַל־הָאָ֑רֶץ כָּֽל־מַטֵּה־לֶ֥חֶם שָׁבָֽר׃

17 שָׁלַ֣ח לִפְנֵיהֶ֣ם אִ֑ישׁ לְ֝עֶ֗בֶד נִמְכַּ֥ר יוֹסֵֽף׃

18 עִנּ֣וּ בַכֶּ֣בֶל [רַגְלָיו כ] (רַגְל֑וֹ ק) בַּ֝רְזֶ֗ל בָּ֣אָה נַפְשֽׁוֹ׃

19 עַד־עֵ֥ת בֹּֽא־דְבָר֑וֹ אִמְרַ֖ת יְהוָ֣ה צְרָפָֽתְהוּ׃

20 שָׁ֣לַח מֶ֭לֶךְ וַיַּתִּירֵ֑הוּ מֹשֵׁ֥ל עַ֝מִּ֗ים וַֽיְפַתְּחֵֽהוּ׃

맛싸성경

14 주께서는 어떤 사람도 그들을 압제하도록 놓아두지 않으시고 그들 때문에 왕들을 꾸짖으셨고 15 "내 기름 부음을 받은 자를 건드리지 말고 내 선지자를 해치지 마라."고 하셨도다. 16 주께서 기근을 그 땅에 불러들이시고 모든 양식의 막대기를 꺾으셨으나 17 주께서 그들 앞에 한 사람을 보내셨으니 종으로 팔린 요셉이었도다. 18 요셉은 그의 발이 족쇄에 상하고 그의 목이 철(장)에 매였으며 19 주의 말씀이 이루어질 때까지 여호와의 말씀이 그를 단련하였도다. 20 왕이 사람을 보내어 그를 풀어 주고 백성들의 통치자가 그를 석방하였도다.

NET

14 He let no one oppress them; he disciplined kings for their sake, 15 saying, "Don't touch my chosen ones. Don't harm my prophets." 16 He called down a famine upon the earth; he cut off all the food supply. 17 He sent a man ahead of them—Joseph was sold as a servant. 18 The shackles hurt his feet; his neck was placed in an iron collar, 19 until the time when his prediction came true. The Lord's word proved him right. 20 The king authorized his release; the ruler of nations set him free.

105 WLC

21 שָׂמֹו אָדֹון לְבֵיתֹו וּמֹשֵׁל בְּכָל־קִנְיָנֹו׃

22 לֶאְסֹר שָׂרָיו בְּנַפְשֹׁו וּזְקֵנָיו יְחַכֵּם׃

23 וַיָּבֹא יִשְׂרָאֵל מִצְרָיִם וְיַעֲקֹב גָּר בְּאֶרֶץ־חָם׃

24 וַיֶּפֶר אֶת־עַמֹּו מְאֹד וַיַּעֲצִמֵהוּ מִצָּרָיו׃

25 הָפַךְ לִבָּם לִשְׂנֹא עַמֹּו לְהִתְנַכֵּל בַּעֲבָדָיו׃

26 שָׁלַח מֹשֶׁה עַבְדֹּו אַהֲרֹן אֲשֶׁר בָּחַר־בֹּו׃

27 שָׂמוּ־בָם דִּבְרֵי אֹתֹותָיו וּמֹפְתִים בְּאֶרֶץ חָם׃

맛싸성경

21 그가 요셉을 자기 집의 주관자로 삼고 자기 모든 소유를 다스리는 자가 되어 22 그의 관료들을 자기 뜻대로 통제하며 원로들에게 지혜를 가르치게 하였도다. 23 그때 이스라엘이 이집트로 갔고 야곱이 함의 땅에서 나그네가 되었도다. 24 주께서 자기 백성을 매우 생육(번성)하게 하셔서 (그의) 대적들보다 더 강하게 하셨도다. 25 주께서 그들의 마음을 바꾸셔서 주의 백성을 미워하게 하시고 주의 종들에게 간교하게 행하게 하셨도다. 26 주께서 자기 종 모세와 그분이 택하신 아론을 보내셔서 27 주의 표적의 사건(들)을 그들에게 주시고 함의 땅에서 기적들을 행하게 하셨도다.

NET

21 He put him in charge of his palace, and made him manager of all his property, 22 giving him authority to imprison his officials and to teach his advisers. 23 Israel moved to Egypt; Jacob lived for a time in the land of Ham. 24 The Lord made his people very fruitful and made them more numerous than their enemies. 25 He caused the Egyptians to hate his people and to mistreat his servants. 26 He sent his servant Moses, and Aaron, whom he had chosen. 27 They executed his miraculous signs among them and his amazing deeds in the land of Ham.

105 WLC

28 שָׁלַח חֹשֶׁךְ וַיַּחְשִׁךְ וְלֹא־מָרוּ אֶת־[דבריו כ] (דְּבָרוֹ ק):

29 הָפַךְ אֶת־מֵימֵיהֶם לְדָם וַיָּמֶת אֶת־דְּגָתָם:

30 שָׁרַץ אַרְצָם צְפַרְדְּעִים בְּחַדְרֵי מַלְכֵיהֶם:

31 אָמַר וַיָּבֹא עָרֹב כִּנִּים בְּכָל־גְּבוּלָם:

32 נָתַן גִּשְׁמֵיהֶם בָּרָד אֵשׁ לֶהָבוֹת בְּאַרְצָם:

33 וַיַּךְ גַּפְנָם וּתְאֵנָתָם וַיְשַׁבֵּר עֵץ גְּבוּלָם:

34 אָמַר וַיָּבֹא אַרְבֶּה וְיֶלֶק וְאֵין מִסְפָּר:

35 וַיֹּאכַל כָּל־עֵשֶׂב בְּאַרְצָם וַיֹּאכַל פְּרִי אַדְמָתָם:

맛싸성경

28 주께서 어둠을 보내시어 어둡게 하셨으니 그들이 주의 말씀을 대항할 수 없었도다. 29 주께서 그들의 물을 피로 바꾸셔서 그들의 물고기를 죽게 하셨도다. 30 그들의 땅이 개구리들로 (가득하였고) 그들의 왕 (들)의 방들에도 가득하였도다. 31 주께서 말씀하시니 (파리) 떼들과 각다귀들이 와서 그들의 영토에 들어왔도다. 32 주께서 그들에게 비 대신 우박과 그들의 땅에 타오르는 불을 내리셨도다. 33 주께서 그들의 포도나무와 무화과나무를 치셨고 그들 영토의 나무들을 꺾으셨도다. 34 주께서 말씀하시니 성충 메뚜기와 뛰는 메뚜기가 셀 수 없이 날아와서 35 (그것들이) 그들 땅의 모든 채소를 먹고 그들 토지의 열매를 먹어 버렸도다.

NET

28 He made it dark; Moses and Aaron did not disobey his orders. 29 He turned the Egyptians' water into blood and killed their fish. 30 Their land was overrun by frogs, which even got into the rooms of their kings. 31 He ordered flies to come; gnats invaded their whole territory. 32 He sent hail along with the rain; there was lightning in their land. 33 He destroyed their vines and fig trees and broke the trees throughout their territory. 34 He ordered locusts to come, innumerable grasshoppers. 35 They ate all the vegetation in their land and devoured the crops of their fields.

105 WLC

וַיַּ֣ךְ כָּל־בְּכ֣וֹר בְּאַרְצָ֑ם רֵ֝אשִׁ֗ית לְכָל־אוֹנָֽם׃ 36

וַֽ֭יּוֹצִיאֵם בְּכֶ֣סֶף וְזָהָ֑ב וְאֵ֖ין בִּשְׁבָטָ֣יו כּוֹשֵֽׁל׃ 37

שָׂמַ֣ח מִצְרַ֣יִם בְּצֵאתָ֑ם כִּֽי־נָפַ֖ל פַּחְדָּ֣ם עֲלֵיהֶֽם׃ 38

פָּרַ֣שׂ עָנָ֣ן לְמָסָ֑ךְ וְ֝אֵ֗שׁ לְהָאִ֥יר לָֽיְלָה׃ 39

שָׁאַ֣ל וַיָּבֵ֣א שְׂלָ֑ו וְלֶ֥חֶם שָׁ֝מַ֗יִם יַשְׂבִּיעֵֽם׃ 40

פָּ֣תַח צ֭וּר וַיָּז֣וּבוּ מָ֑יִם הָ֝לְכ֗וּ בַּצִּיּ֥וֹת נָהָֽר׃ 41

כִּֽי־זָ֭כַר אֶת־דְּבַ֣ר קָדְשׁ֑וֹ אֶֽת־אַבְרָהָ֥ם עַבְדּֽוֹ׃ 42

맛싸성경

36 주께서 그들 땅의 모든 장자 곧 그들의 모든 힘의 첫 것들을 치셨도다. 37 주께서 그들(이스라엘)로 은과 금을 가지고 나오게 하시니 그 지파들 중에 넘어지는 자가 없었도다. 38 그들이 나올 때 이집트는 기뻐하였으니 그들에 대한 그들의 두려움이 내려왔기 때문이었도다. 39 주께서 구름을 펼쳐 덮개로 삼으시고 밤에는 불로 밝혀 주셨도다. 40 그들이 요구하니 주께서 메추라기를 보내시고 하늘 양식으로 그들을 만족하게 하셨도다. 41 주께서 바위를 가르시니 물이 솟아나고 (그것들은) 마른 사막에도 강같이 흘렀도다. 42 이는 주께서 그분의 거룩한 말씀과 자기 종 아브라함을 기억하셨기 때문이로다.

NET

36 He struck down all the firstborn in their land, the firstfruits of their reproductive power. 37 He brought his people out enriched with silver and gold; none of his tribes stumbled. 38 Egypt was happy when they left, for they were afraid of them. 39 He spread out a cloud for a cover, and provided a fire to light up the night. 40 They asked for food, and he sent quail; he satisfied them with food from the sky. 41 He opened up a rock and water flowed out; a river ran through dry regions. 42 Yes, he remembered the sacred promise he made to Abraham his servant.

43 וַיּוֹצִא עַמּוֹ בְשָׂשׂוֹן בְּרִנָּה אֶת־בְּחִירָיו׃

44 וַיִּתֵּן לָהֶם אַרְצוֹת גּוֹיִם וַעֲמַל לְאֻמִּים יִירָשׁוּ׃

45 בַּעֲבוּר ׀ יִשְׁמְרוּ חֻקָּיו וְתוֹרֹתָיו יִנְצֹרוּ הַלְלוּ־יָהּ׃

맛싸성경

43 주께서 자기 백성이 기쁨으로 자신이 택한 자들이 (큰 소리로) 노래하며 나오게 하셨도다. 44 주께서 민족들의 땅들을 그들에게 주셔서 그들로 나라들이 수고한 것을 소유하게 하셨도다. 45 이것은 그들로 주의 규례를 지키고 주의 율법을 준수하도록 하기 위한 것이로다. 할렐루야(여호와를 찬양하라).

NET

43 When he led his people out, they rejoiced; his chosen ones shouted with joy. 44 He handed the territory of nations over to them, and they took possession of what other peoples had produced, 45 so that they might keep his commands and obey his laws. Praise the Lord.

1 הַלְלוּיָהּ ׀ הוֹדוּ לַיהוָה כִּי־טוֹב כִּי לְעוֹלָם חַסְדּוֹ׃

2 מִי יְמַלֵּל גְּבוּרוֹת יְהוָה יַשְׁמִיעַ כָּל־תְּהִלָּתוֹ׃

3 אַשְׁרֵי שֹׁמְרֵי מִשְׁפָּט עֹשֵׂה צְדָקָה בְכָל־עֵת׃

4 זָכְרֵנִי יְהוָה בִּרְצוֹן עַמֶּךָ פָּקְדֵנִי בִּישׁוּעָתֶךָ׃

5 לִרְאוֹת ׀ בְּטוֹבַת בְּחִירֶיךָ לִשְׂמֹחַ בְּשִׂמְחַת גּוֹיֶךָ לְהִתְהַלֵּל

עִם־נַחֲלָתֶךָ׃

6 חָטָאנוּ עִם־אֲבוֹתֵינוּ הֶעֱוִינוּ הִרְשָׁעְנוּ׃

7 אֲבוֹתֵינוּ בְמִצְרַיִם ׀ לֹא־הִשְׂכִּילוּ נִפְלְאוֹתֶיךָ לֹא זָכְרוּ אֶת־רֹב

חֲסָדֶיךָ וַיַּמְרוּ עַל־יָם בְּיַם־סוּף׃

맛싸성경

1 할렐루야(여호와를 찬양하라). 여호와를 (감사로) 찬양하라. 이는 (그분은) 선하시며 그분의 인애는 영원하시기 때문이로다. 2 누가 여호와의 능력 있는 일들을 말할 수 있으며 (누가) 그분에 대한 찬양을 모두 들려줄 수 있으랴? 3 복 있는 자는 공평을 지키는 자들이며 어느 때이든지 정의를 행하는 자들이로다. 4 여호와시여! 주의 백성에게 (베푸신) 호의로 나를 기억하소서. 주의 구원으로 나를 돌보셔서 5 주의 택하신 자들의 선함을 보게 하시고 주의 나라의 기쁨으로 기뻐하며 주의 유업으로 자랑하게 하소서. 6 우리는 우리 아버지(조상)들과 함께 죄를 지었고 잘못 행하였으며 악하게 행하였나이다. 7 이집트에서 우리 아버지(조상)들은 주의 놀라운 일을 이해하지 못하였고 주의 인애가 풍성함을 기억하지도 아니하였으며 홍해 바다에서도 거역하였나이다.

NET

1 Praise the Lord. Give thanks to the Lord, for he is good, and his loyal love endures. 2 Who can adequately recount the Lord's mighty acts or relate all his praiseworthy deeds? 3 How blessed are those who promote justice and do what is right all the time. 4 Remember me, O Lord, when you show favor to your people. Pay attention to me, when you deliver, 5 so I may see the prosperity of your chosen ones, rejoice along with your nation, and boast along with the people who belong to you. 6 We have sinned like our ancestors; we have done wrong, we have done evil. 7 Our ancestors in Egypt failed to appreciate your miraculous deeds. They failed to remember your many acts of loyal love, and they rebelled at the sea, by the Red Sea.

106 WLC

8 וַיּוֹשִׁיעֵם לְמַעַן שְׁמוֹ לְהוֹדִיעַ אֶת־גְּבוּרָתוֹ׃

9 וַיִּגְעַר בְּיַם־סוּף וַיֶּחֱרָב וַיּוֹלִיכֵם בַּתְּהֹמוֹת כַּמִּדְבָּר׃

10 וַיּוֹשִׁיעֵם מִיַּד שׂוֹנֵא וַיִּגְאָלֵם מִיַּד אוֹיֵב׃

11 וַיְכַסּוּ־מַיִם צָרֵיהֶם אֶחָד מֵהֶם לֹא נוֹתָר׃

12 וַיַּאֲמִינוּ בִדְבָרָיו יָשִׁירוּ תְּהִלָּתוֹ׃

13 מִהֲרוּ שָׁכְחוּ מַעֲשָׂיו לֹא־חִכּוּ לַעֲצָתוֹ׃

14 וַיִּתְאַוּוּ תַאֲוָה בַּמִּדְבָּר וַיְנַסּוּ־אֵל בִּישִׁימוֹן׃

15 וַיִּתֵּן לָהֶם שֶׁאֱלָתָם וַיְשַׁלַּח רָזוֹן בְּנַפְשָׁם׃

맛싸성경

8 그러나 주께서는 주의 능력을 알리시려고 자기 이름을 위하여 그들을 구원하셨나이다. 9 주께서 홍해를 꾸짖어 마르게 하셨고 광야처럼 그들로 깊은 바다를 지나가게 하셨나이다. 10 주께서 미워하는 자의 손에서 그들을 구원하셨고 원수의 손에서 그들을 구속하셨나이다. 11 물이 그 대적들을 덮었으니 그들에게서 한 사람도 남지 않았나이다. 12 이에 그들이 주의 말씀들을 믿었으며 (그들은) 주를 찬양으로 노래하였나이다. 13 그러나 그들은 급하게 행하여 (그들은) 주께서 하신 일들을 잊어버리고 주의 계획을 기다리지 아니하였나이다. 14 또 그들은 광야에서 욕망을 사모하였고 (그들은) 사막에서는 하나님을 시험하였나이다. 15 그러나 주께서는 그들이 구한 것을 그들에게 주셨으나 그들의 생명에 쇠약함(부족함)을 보내셨나이다.

NET

8 Yet he delivered them for the sake of his reputation that he might reveal his power. 9 He shouted at the Red Sea and it dried up; he led them through the deep water as if it were a desert. 10 He delivered them from the power of the one who hated them and rescued them from the power of the enemy. 11 The water covered their enemies; not even one of them survived. 12 They believed his promises; they sang praises to him. 13 They quickly forgot what he had done; they did not wait for his instructions. 14 In the wilderness they had an insatiable craving for meat; they challenged God in the wastelands. 15 He granted their request, then struck them with a disease.

106 WLC

16 וַיְקַנְא֣וּ לְ֭מֹשֶׁה בַּֽמַּחֲנֶ֑ה לְ֝אַהֲרֹ֗ן קְד֣וֹשׁ יְהוָֽה׃

17 תִּפְתַּח־אֶ֭רֶץ וַתִּבְלַ֣ע דָּתָ֑ן וַ֝תְּכַ֗ס עַל־עֲדַ֥ת אֲבִירָֽם׃

18 וַתִּבְעַר־אֵ֥שׁ בַּעֲדָתָ֑ם לֶ֝הָבָ֗ה תְּלַהֵ֥ט רְשָׁעִֽים׃

19 יַעֲשׂוּ־עֵ֥גֶל בְּחֹרֵ֑ב וַ֝יִּשְׁתַּחֲו֗וּ לְמַסֵּכָֽה׃

20 וַיָּמִ֥ירוּ אֶת־כְּבוֹדָ֑ם בְּתַבְנִ֥ית שׁ֝֗וֹר אֹכֵ֥ל עֵֽשֶׂב׃

21 שָׁ֭כְחוּ אֵ֣ל מוֹשִׁיעָ֑ם עֹשֶׂ֖ה גְדֹל֣וֹת בְּמִצְרָֽיִם׃

22 נִ֭פְלָאוֹת בְּאֶ֣רֶץ חָ֑ם נ֝וֹרָא֗וֹת עַל־יַם־סֽוּף׃

23 וַיֹּ֗אמֶר לְֽהַשְׁמִ֫ידָ֥ם לוּלֵ֡י מֹ֘שֶׁ֤ה בְחִיר֗וֹ עָמַ֣ד בַּפֶּ֣רֶץ לְפָנָ֑יו

לְהָשִׁ֥יב חֲ֝מָת֗וֹ מֵֽהַשְׁחִֽית׃

맛싸성경

16 그 진영에서 모세와 여호와의 거룩한 자 아론을 그들이 시기하였으므로 17 땅이 갈라져 다단을 삼키고 아비람의 무리를 덮었으며 18 그들 무리에 불이 타올라 불길이 사악한 자들을 살라버렸나이다. 19 그들은 호렙에서 송아지를 만들어 주조한 우상을 숭배하였나이다. 20 (그들은) 풀 먹는 소의 형상 (같은) (것들)의 영광으로 바꾸어 버렸나이다. 21 이집트에서 위대한 일들을 하신 그들의 구원자 하나님을 그들은 잊었으니 22 (그분은) 함의 땅에서 놀라운 일들과 홍해에서 무서운 일들을 (행하신 분)이시나이다. 23 그러므로 주께서 그들을 멸하겠다고 말씀하셨고 주의 택하신 자 모세가 그분의 얼굴에서 주의 분노를 돌이켜 멸하시지 않도록 하였나이다.

NET

16 In the camp they resented Moses and Aaron the Lord's holy priest. 17 The earth opened up and swallowed Dathan; it engulfed the group led by Abiram. 18 Fire burned their group; the flames scorched the wicked. 19 They made an image of a calf at Horeb and worshiped a metal idol. 20 They traded their majestic God for the image of an ox that eats grass. 21 They rejected the God who delivered them, the one who performed great deeds in Egypt, 22 amazing feats in the land of Ham, mighty acts by the Red Sea. 23 He threatened to destroy them, but Moses, his chosen one, interceded with him and turned back his destructive anger.

24 וַיִּמְאֲסוּ בְּאֶרֶץ חֶמְדָּה לֹא־הֶאֱמִינוּ לִדְבָרוֹ׃

25 וַיֵּרָגְנוּ בְאָהֳלֵיהֶם לֹא שָׁמְעוּ בְּקוֹל יְהוָה׃

26 וַיִּשָּׂא יָדוֹ לָהֶם לְהַפִּיל אוֹתָם בַּמִּדְבָּר׃

27 וּלְהַפִּיל זַרְעָם בַּגּוֹיִם וּלְזָרוֹתָם בָּאֲרָצוֹת׃

28 וַיִּצָּמְדוּ לְבַעַל פְּעוֹר וַיֹּאכְלוּ זִבְחֵי מֵתִים׃

29 וַיַּכְעִיסוּ בְּמַעַלְלֵיהֶם וַתִּפְרָץ־בָּם מַגֵּפָה׃

30 וַיַּעֲמֹד פִּינְחָס וַיְפַלֵּל וַתֵּעָצַר הַמַּגֵּפָה׃

31 וַתֵּחָשֶׁב לוֹ לִצְדָקָה לְדֹר וָדֹר עַד־עוֹלָם׃

맛싸성경

24 그러나 그들은 바라던 땅을 거절하고 주의 말씀을 믿지 않았으며 25 그들의 장막들에서 불평하고 여호와의 목소리를 듣지 않았나이다. 26 이에 주께서 그들에게 손을 들어(맹세하시기를) "그들을 광야에서 쓰러지게 하고 27 그들의 후손을 민족들 중에서 쓰러지게 하며 여러 땅에 그들을 흩을 것이다."고 하셨나이다. 28 그러자 그들이 바알브올에게 관련되었고 죽은 자들의 제물을 먹었나이다. 29 그들은 그들의 행위들로 (주를) 격노하게 하니 그들 가운데 재앙이 생겨났나이다. 30 그때 핀하쓰(비느하스)가 일어나 심판을 시행하니 재앙이 그쳤으며 31 이 일이 대대로 영원히 그에게 그의 의로 인정되었나이다.

NET

24 They rejected the fruitful land; they did not believe his promise. 25 They grumbled in their tents; they did not obey the Lord. 26 So he made a solemn vow that he would make them die in the wilderness, 27 make their descendants die among the nations, and scatter them among foreign lands. 28 They worshiped Baal of Peor and ate sacrifices offered to the dead. 29 They made the Lord angry by their actions, and a plague broke out among them. 30 Phinehas took a stand and intervened, and the plague subsided. 31 This was credited to Phinehas as a righteous act for all generations to come.

32 וַיַּקְצִיפוּ עַל־מֵי מְרִיבָה וַיֵּרַע לְמֹשֶׁה בַּעֲבוּרָם׃

33 כִּי־הִמְרוּ אֶת־רוּחוֹ וַיְבַטֵּא בִּשְׂפָתָיו׃

34 לֹא־הִשְׁמִידוּ אֶת־הָעַמִּים אֲשֶׁר אָמַר יְהוָה לָהֶם׃

35 וַיִּתְעָרְבוּ בַגּוֹיִם וַיִּלְמְדוּ מַעֲשֵׂיהֶם׃

36 וַיַּעַבְדוּ אֶת־עֲצַבֵּיהֶם וַיִּהְיוּ לָהֶם לְמוֹקֵשׁ׃

37 וַיִּזְבְּחוּ אֶת־בְּנֵיהֶם וְאֶת־בְּנוֹתֵיהֶם לַשֵּׁדִים׃

맛싸성경

32 그들이 므리바 물가에서 주를 분노하게 하여 그들로 인하여 모세가 화를 입게 되었으니 33 이는 그들이 그분의 영을 거역하였고 그(모세)의 입술로 그(모세)가 성급히 말했기 때문이었나이다. 34 여호와께서 그들에게 말씀하신 그 이방 민족들을 그들은 멸하지 아니하였고 35 오히려 그 민족들과 혼합하여 그들의 행위를 배우고 36 그들의 우상들을 섬겨 이것들이 그들에게 올무가 되었나이다. 37 그들이 자기 아들들과 자기 딸들을 마귀에게 제물로 바쳤으며

NET

32 They made him angry by the waters of Meribah, and Moses suffered because of them, 33 for they aroused his temper, and he spoke rashly. 34 They did not destroy the nations, as the Lord had commanded them to do. 35 They mixed in with the nations and learned their ways. 36 They worshiped their idols, which became a snare to them. 37 They sacrificed their sons and daughters to demons.

38 וַיִּשְׁפְּכוּ דָם נָקִי דַּם־בְּנֵיהֶם וּבְנוֹתֵיהֶם אֲשֶׁר זִבְּחוּ לַעֲצַבֵּי

כְנָעַן וַתֶּחֱנַף הָאָרֶץ בַּדָּמִים׃

39 וַיִּטְמְאוּ בְמַעֲשֵׂיהֶם וַיִּזְנוּ בְּמַעַלְלֵיהֶם׃

40 וַיִּחַר־אַף יְהוָה בְּעַמּוֹ וַיְתָעֵב אֶת־נַחֲלָתוֹ׃

41 וַיִּתְּנֵם בְּיַד־גּוֹיִם וַיִּמְשְׁלוּ בָהֶם שֹׂנְאֵיהֶם׃

42 וַיִּלְחָצוּם אוֹיְבֵיהֶם וַיִּכָּנְעוּ תַּחַת יָדָם׃

43 פְּעָמִים רַבּוֹת יַצִּילֵם וְהֵמָּה יַמְרוּ בַעֲצָתָם וַיָּמֹכּוּ בַּעֲוֺנָם׃

맛싸성경

38 무죄한 피 곧 자기 아들들과 자기 딸들의 피를 그들이 흘렸고 가나안 우상들에게 제물로 드렸으며 그 피로 그 땅이 더럽혀졌나이다. 39 그들이 자기 행실로 부정하게 되었고 자기 행위로 음행하였나이다. 40 그러므로 여호와께서 자신의 백성에게 (진)노가 타올랐고 자신의 유업을 역겨워하셨으며 41 그들을 민족들의 손에 넘겨주시고 그들을 미워하는 자들이 그들을 통치하였나이다. 42 그들의 원수들이 그들을 압제하였고 그들의 손 아래 그들이 굴복하게 되었나이다. 43 주께서 여러 번 그들을 구출하셨으나 그들은 자기 계획대로 거역하며 자기 죄책 때문에 굴욕을 당하였나이다.

NET

38 They shed innocent blood—the blood of their sons and daughters, whom they sacrificed to the idols of Canaan. The land was polluted by bloodshed. 39 They were defiled by their deeds and unfaithful in their actions. 40 So the Lord was angry with his people and despised the people who belonged to him. 41 He handed them over to the nations, and those who hated them ruled over them. 42 Their enemies oppressed them; they were subject to their authority. 43 Many times he delivered them, but they had a rebellious attitude and degraded themselves by their sin.

44 וַיַּרְא בַּצַּר לָהֶם בְּשָׁמְעוֹ אֶת־רִנָּתָם:

45 וַיִּזְכֹּר לָהֶם בְּרִיתוֹ וַיִּנָּחֵם כְּרֹב [חַסְדּוֹ כ] (חֲסָדָיו ק):

46 וַיִּתֵּן אוֹתָם לְרַחֲמִים לִפְנֵי כָּל־שׁוֹבֵיהֶם:

47 הוֹשִׁיעֵנוּ ׀ יְהוָה אֱלֹהֵינוּ וְקַבְּצֵנוּ מִן־הַגּוֹיִם לְהֹדוֹת לְשֵׁם קָדְשֶׁךָ

לְהִשְׁתַּבֵּחַ בִּתְהִלָּתֶךָ:

48 בָּרוּךְ־יְהוָה אֱלֹהֵי יִשְׂרָאֵל מִן־הָעוֹלָם ׀ וְעַד הָעוֹלָם וְאָמַר

כָּל־הָעָם אָמֵן הַלְלוּ־יָהּ:

맛싸성경

44 그럼에도 주께서 그들의 부르짖음을 들으실 때 주
께서 그들의 고난을 돌아보셨으며 45 그들을 위하여
자신의 언약을 기억하셨고 그분의 인애의 풍성함으로
그분은 (마음을) 돌이키셨나이다. 46 그들을 사로잡
은 모든 자들 앞에서 그분은 그들이 긍휼히 여김을 받
도록 하셨나이다. 47 여호와 우리 하나님이시여! 우
리를 구원하시고 민족들 중에서 모으셔서 주의 거룩
하신 이름을 (감사로) 노래하고 주의 찬양으로 찬미하
게 하소서. 48 영원부터 영원까지 여호와 이스라엘의
하나님을 송축하라. 모든 백성들은 "아멘." 하여라. 할
렐루야(여호와를 찬양하라).

NET

44 Yet he took notice of their distress, when he
heard their cry for help. 45 He remembered his
covenant with them and relented because of his
great loyal love. 46 He caused all their conquerors
to have pity on them. 47 Deliver us, O Lord, our
God. Gather us from among the nations. Then we
will give thanks to your holy name, and boast about
your praiseworthy deeds. 48 The Lord God of Israel
deserves praise, in the future and forevermore. Let
all the people say, "We agree! Praise the Lord!"

COVENANT UNIVERSITY
Fulfilling the unfulfilled task through equipping missional servant leaders for Christ

목회자를 위한 **설교학 석,박사 통합 과정** 소개

1. 수업 진행
1) 월간 맛싸 31-33호를 듣기
2) 각권에 따라 원하는 본문을 원문에 근거하여 설교문을 작성하고 먼저 제출하기
3) 먼저 제출된 설교문을 컨설팅하고 완성된 설교문으로 설교하는 동영상(30분)을 촬영하여 제출하기

2. 수강 과목
1) 월간 맛싸 31호 13학점
　(1) 요나(1-9회차) 2학점 - 설교 2편 작성 제출
　(2) 요엘(10-21회차) 2학점 - 설교 2편 작성 제출
　(3) 학개(22-28회차) 2학점 - 설교 2편 작성 제출
　(4) 말라기(29-38회차) 2학점 - 설교 2편 작성 제출
　(5) 오바댜(39-41회차) 1학점 - 설교 1편 작성 제출
　(6) 하박국(42-51회차) 2학점 - 설교 2편 작성 제출
　(7) 스바냐(52-61회차) 2학점 - 설교 2편 작성 제출

2) 맛싸 32호 13학점
　(1) 시편 119편(1-22회차) 2학점 - 설교 2편 작성 제출
　(2) 시편 120-134편(올라가는 노래)(23-38회차) 6학점 - 설교 6편 작성 제출
　(3) 시편 135-150편(39-61회차) 5학점 - 설교 5편 작성 제출

3) 맛싸 33호 13학점
　(1) 룻기 (1-13회) 3학점 - 설교 3편 작성 제출
　(2) 에스더 (14-48회) 3학점 - 설교 3편 작성 제출
　(3) 시편 101-106편(49-62회) 3학점 - 설교 3편 작성 제출
　(4) 신약 자유 본문(월간맛싸QT 내용중) 4학점 - 설교 4편 작성 제출

4) 논문 6학점 혹은 신약 자유 본문 6학점
　(1) 논문 작성시 - 6학점
　(2) 신약 자유 본문(월간맛싸QT 내용중) 6학점 - 설교 6편 작성 제출

3. 학비
2023년 가을학기 (8/28-12/9일까지 15주)
입학자격-학사 및 목회학 석사(Mdiv) 이상 졸업자(M.A 졸업자는 가능)
신학 석사(ThM) 45학점; 박사(DTh) 54학점; 석박사 통합 39+54=93학점
한학기 15학점; 석사 190만원; 박사 286만원
이번학기 송금처 언약성경연구소(Covenant Bible Institution)
농협 355-4696-1189-93 공식구좌

성경 원문을 공부해서 자격증 혹은 정식 학위도 받을 수 있는 기회

Covenant University –http://covenantunversity.us

카버넌트 대학은 미국 캘리포니아의 대학교로 학사, 석사, 박사 학위를 수여할 수 있는 학교입니다. 국제기독대학 협의회 즉 사립 종교대학 공인 기관(ACSI, Num. 107355)이며 또한 통신으로도 공부를 할 수 있는 미국통신고등교육연합협의회(USDLA) 정식 멤버의 학교입니다. 또한 캘리포니아 주 교육국 코드(CEC 4739b 6)및 학교인가번호 1924981과 연방등록번호 33-081445에 따라 설립된 기독교 대학입니다. 장점은 한국에서 자신의 생활을 하면서 통신으로 공부와 과정을 다 마칠 수 있는 것이 장점입니다. 참고로 이 대학은 Stanton University 캠퍼스 대학교(WASC)와 같은 재단에서 운영하는 대학이기도 합니다. 그리고 한국의 월간 맛싸-언약성경협회, 연구소와 MOU를 맺어서 성경원문으로 학위를 주는 과정입니다. 원문성경으로만 공부하는 것은 세계최초의 일입니다. (그럼에도 혹 ATS, AHBC, TRACS등의 자격을 필요로 하는 분들은 미국 현지에 유학 가서 거주하면서 공부하는 코스로 하시기 바랍니다.)

월간 맛싸(원문성경 전문지)와 연계한 학위과정

31호-13학점; 32호 14학점; 33호 13학점; 34호 12학점-현재까지 52학점 개설
(선지서; 시가서; 역사서; 신약-바울서신)

2023년 가을학기 (8/28-12/9일까지 15주)
입학자격-학사이상 국제 정식학위 소지자
신학 석사(ThM) 45학점; 박사(DTh) 54학점; 석박사 통합 39+54=93학점
한학기 15학점; 석사 190만원; 박사 286만원
이번 학기 송금처 언약성경연구소(Covenant Bible Institution)
농협 355-4696-1189-93

왕초보 히브리어 펜습자
알파벳 따라쓰기

저자 - 허동보

Covenant University, CA
수현교회 담임목사
AP 부모교육 국제지도자
히브리어성경읽기 강사

210X297mm / 62페이지 / 7,500원

히브리어, 어렵지 않습니다.
단지 익숙하지 않을 뿐입니다.

모든 언어는 문법보다 더욱 중요한 것이 있습니다. 바로 읽고 쓰는 것입니다.

기본에 충실합니다.

이 책은 단순합니다. 다른 알파벳 교재와 달리 읽고 쓰는 것에만 집중했습니다.
쓰는 순서, 자음과 모음의 발음, 읽는 방법 등 정말 기본적이고 기초적인 것에
집중을 했습니다.

남녀노소 누구나 할 수 있습니다.

모든 언어는 왕도가 없습니다. 처음에 말과 글을 배울 때 복잡한 문법부터 공부하는
사람은 없습니다. 이 책은 어린이, 청소년을 비롯하여 히브리어에 관심만 있다면
모든 연령이 쉽게 배울 수 있도록 집필되었습니다.

다양한 미디어로 공부가 가능합니다.

책 속에는 노트가 더 필요한 분들이 직접 인쇄할 수 있도록 QR코드를 제공하고
있습니다. 알파벳송은 따라부를 수 있도록 영상 QR코드를 제공합니다. 그 외
다양한 미디어 학습을 체험하실 수 있습니다.

월간 맛싸의 발전과 함께 하실 동역자님을 모십니다.

✓ 평생이사: 월10만원 혹은 연200만원 일시불 / 후원이사: 연10만원
✓ 후원특전: 월간 맛싸와 언약성경연구소 발행 신간을 보내 드리며,
　　　세미나와 본사 발전회의에 초대됩니다.
✓ 후원계좌: 농협 302-1258-5603-71 (예금주: LEE HAKJAE)
✓ 정기구독: 1년 6회 90,000원 / 2년 12회: 150,000원
✓ 정기구독 문의 및 안내: 070-4126-3496

정기구독신청서

20   년 월 일

신청인	이름		생년월일	
	주소			
	전화	자택 ( ) –	출석교회	
		회사 ( ) –	직분	담임목사 / 목사 / 전도사 / 장로 / 권사 / 집사
		핸드폰 ( ) –	E-mail	@
수취인	이름			
	주소			
	전화(자택)		회사	핸드폰
신청내용	신청기간	20 년 월 ~ 20 년 월		
	구독기간	☐ 1년 ☐ 2년 ☐ 3년		
	신청부수	부		
결제방법	카드	· 카드종류: 국민, 비씨, 신한, 삼성, 롯데, 현대, 농협, 씨티, VISA, Master, JCB		
		· 카드번호: – – – · 유효기간: /		
		· 소유주: · 일시불/할부 개월		
	온라인			
	자동이체	CMS		
메모				

정기구독 문의 및 안내 070-4126-3496

월간 맛싸